비상 독해력
수능 국어
1등급

예비 고등~고등3

수능 개념을 바탕
으로 실전 감각을
길러요

독서, 고난도 독서
기출 개념을 익히고
학습하는 수능 예상
문제집

독서 기본, 독서
기출로 실전 감각을
키우는 기출문제집

예비 중등~중등3

영역별 독해 전략을
바탕으로 독해력을
강화해요

비문학 1~3권
독해력을 단계
별로 단련하는
중등 독해

어휘편 1~3권
중등 전 과목
교과서 필수 어휘
학습

문학편 1~3권
감상 스킬을
단련하는 필수
작품 독해

초등3~예비 중등

본격적으로
학습 독해 실력을
쌓아요

**비문학 시작편
1~2권**
초등에서 처음 만
나는 수능 독해의
기본

비문학 1~2권
초등 독해의 넥스
트레벨 고급 독해

문학 1~3권
시험에 꼭 나오
는 작품 독해

세상이 변해도
배움의 즐거움은
변함없도록

시대는 빠르게 변해도
배움의 즐거움은
변함없어야 하기에

어제의 비상은
남다른 교재부터
결이 다른 콘텐츠
전에 없던 교육 플랫폼까지

변함없는 혁신으로
교육 문화 환경의 새로운 전형을
실현해왔습니다.

비상은 오늘, 다시 한번
새로운 교육 문화 환경을 실현하기 위한
또 하나의 혁신을 시작합니다.

오늘의 내가 어제의 나를 초월하고
오늘의 교육이 어제의 교육을 초월하여
배움의 즐거움을 지속하는 혁신,

바로, 메타인지 기반 완전 학습을.

상상을 실현하는 교육 문화 기업 비상

메타인지 기반 완전 학습

초월을 뜻하는 meta와 생각을 뜻하는 인지가 결합한 메타인지는
자신이 알고 모르는 것을 스스로 구분하고 학습계획을 세우도록 하는
궁극의 학습 능력입니다. 비상의 메타인지 기반 완전 학습 시스템은
잠들어 있는 메타인지를 깨워 공부를 100% 내 것으로 만들도록 합니다.

초등

수능
독해

비문학 1 | 과학·사회·기술
인문·예술

메인북

이렇게 공부해요!

메인북 을 완벽하게 활용하는 방법

비문학 지문 독해의 길잡이가 되는
어휘 학습

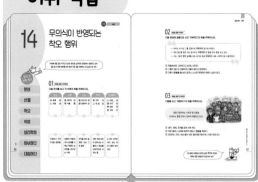

수능에 가장 가까운 초등 지문으로
지문 학습

✳ **지문 간단 소개 ▶** 지문의 제목과 귀여운 캐릭터가 알려 주는 지문 소개를 읽으며 이어질 지문이 어떤 내용일지 머릿속으로 그려 봅니다.

✳ **읽기 전 어휘 체크 ▶** 지문에 사용된 주요 어휘로 구성된 한자어 풀이 문제, 사전 문제, 자료 확인 문제를 풀어 봅니다. 이 문제들을 통해 이어질 지문에 나올 어휘를 미리 학습할 뿐 아니라, 처음 보는 글에서 모르는 어휘가 나왔을 때 글 속에서 어휘의 뜻을 추측하는 방법을 배우게 됩니다.

✳ **지문 ▶** 수능, 모의평가, 학력평가에서 주로 다루어지는 내용을 초등 고학년 수준에 맞춰 다듬은 지문을 읽으며 내용을 파악합니다.

✳ **독해 포인트 ▶** 지문을 읽기 전에 지문에서 반드시 파악해야 하는 핵심 내용이 무엇인지 확인합니다.

✳ **문단별 핵심 태그 ▶** 지문을 읽고 나서 문단별로 중심 내용을 요약하는 활동을 통해 지문의 내용을 정리합니다.

왜 초등 수능독해 비문학으로 공부해야 할까요?

수능은 학교 시험과 달라서 미리 연습해 두지 않으면 포기하기 쉬워요.
적절한 수준의 지문과 문제로 구성되어 있어 초등 고학년과 예비 중학생이
수능을 연습할 수 있는 책이 바로 **초등 수능독해 비문학**이랍니다.

가이드북을 완벽하게 활용하는 방법

내용 이해를 완벽하게 확인하는
문제 학습

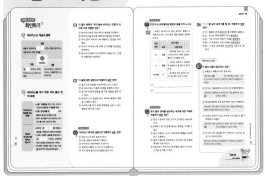

정답은 빠르게 해설은 친절하게
가이드북

✳ **독해 포인트 확인하기 ▶** 지문을 읽기 전에 확인했던 독해 포인트의 내용을 도식으로 정리하고, 빈칸 퀴즈를 풀며 지문을 제대로 독해하였는지 확인합니다.

✳ **독해 포인트 문제 ▶** 지문에서 정리한 내용이 문제로 어떻게 출제되는지 확인하면서 문제를 풀어 봅니다.

✳ **완벽 마스터 문제 ▶** 정답과 오답의 근거를 지문에서 찾아 문제를 푸는 방법까지 익힘으로써 비문학 독해를 완성합니다.

✳ **문제 정답 및 해설 ▶** 왼편에서 정답만 빠르게 확인할 수도 있고, 오른편에서 자세한 해설을 보며 정답을 찾아가는 방법을 확인할 수도 있습니다.

✳ **〈보기〉 돋보기 ▶** 고난도 문제로 꼽히는 〈보기〉형 문제! 〈보기〉의 내용까지 꼼꼼하게 확인할 수 있습니다.

수능에 출제되는 비문학 독해 영역

과학 영역의 글

과학 영역의 글은 지구의 생태계나 우주에 대한 탐구, 사물의 구조 및 원리 등을 다루고 있습니다. 과학 영역에서는 생명과학, 지구과학, 물리학, 화학 등을 소재로 한 글이 출제됩니다.

생명과학	인체를 비롯한 생물의 기능과 구조를 설명한 내용
지구과학	지구와 우주에서 발생하는 현상과 탐구 방법을 설명한 내용
물리학	물질 및 에너지와 관련된 현상과 기초 원리를 설명한 내용
화학	물질의 성질·조성·구조 및 그 변화를 설명한 내용

사회 영역의 글

사회 영역의 글은 사람들이 모여 사는 사회에서 일어나는 다양한 현상을 다루고 있습니다. 사회 영역에서는 정치, 경제, 법률, 문화, 언론, 복지 등을 소재로 한 글이 출제됩니다.

사회·문화	사회 구조 및 제도, 공동체의 생활 양식을 설명한 내용
경제	경제 현상과 그러한 현상을 탐구한 경제 이론을 설명한 내용
정치·법	국가의 권력과 법 질서에 관한 이론과 제도를 설명한 내용
언론	언론 매체와 이러한 매체를 통해 형성되는 여론에 대해 설명한 내용

기술 영역의 글

기술 영역의 글은 전문적인 산업 기술에서부터 일상생활에 적용되는 생활 기술의 원리와 방법을 다루고 있습니다. 기술 영역에서는 정보 통신, 전기, 전자, 기계, 소재, 화학 등에 관한 기술을 소재로 한 글이 출제됩니다.

정보 통신	정보의 생산, 수집, 전달 등에 관계되는 기술을 설명한 내용
전기·전자	전류나 전자기장으로 작동하는 기계와 기구 등을 설명한 내용
기계·소재	기계의 작동 원리나 새로운 소재에 대한 기술을 설명한 내용
화학 기술	물질의 성질, 구조와 반응 등을 활용하는 기술을 설명한 내용
에너지·자원	사람들이 필요한 에너지를 얻거나 활용하는 기술을 설명한 내용

수능에는 과학, 사회, 기술, 인문, 예술, 융합의 **여섯 가지 영역**에서 비문학 독해 문제가 출제됩니다.

수능에 나오는 지문은 일상생활과 연관된 익숙한 내용에서부터 전문적인 내용에 이르기까지

주제와 소재의 범위가 매우 넓습니다. 따라서 수능 비문학 독해를 잘하기 위해서는

여러 영역에 걸쳐 다양한 수준의 글을 두루 읽어 두어야 합니다.

영역의 글

인문 영역의 글은 인간의 사상 및 문화를 대상으로, 세상에 대한 인간의 이해와 세상을 살아가는 지혜를 다루고 있습니다. 인문 영역에서는 철학, 사상, 윤리, 역사, 심리 등을 소재로 한 글이 출제됩니다.

철학 · 사상	인간과 세계가 존재하는 원리와 삶의 본질을 설명한 내용
윤리	인간의 행동에 대한 선악의 판단과 도덕, 규범을 설명한 내용
역사	사회·국가의 역사적 변화나 역사적 사건, 역사 연구 방법을 설명한 내용
심리	인간의 행동과 의식 현상, 심리 과정을 과학적으로 설명한 내용

영역의 글

예술 영역의 글은 예술 작품과 예술가에 대한 비평이나 예술의 역사를 다루고 있습니다. 예술 영역에서는 미술, 음악, 영화, 공연, 영상, 건축 등을 소재로 한 글이 출제됩니다.

미술	그림, 조각, 공예 작품을 감상하고 비평한 내용
음악	기악, 노래, 작곡법, 음악의 역사 등을 설명한 내용
영화·영상·공연	다양한 공연이나 영상물의 특징 및 아름다움을 설명한 내용
건축	건축물의 구조와 아름다움, 효용성 등을 설명한 내용

영역의 글

최근에 나오기 시작한 융합 영역의 글은 과학, 사회, 기술, 인문, 예술의 영역 중 두 가지 이상의 영역을 아우르는 내용을 다루고 있습니다. 융합 영역에서는 과학과 사회, 기술과 인문, 인문과 예술 등 여러 영역의 성격을 아우르는 소재나 주제를 다룬 글이 출제됩니다.

비문학 ❶ 차례 과학 · 사회 · 기술
인문 · 예술

과학

01 무한한 가능성을 가진 우리의 뇌 생명과학 8

02 이글루에 담긴 과학적 원리 화학 14

03 소리는 어떻게 전달될까 물리학 20

04 우리 몸속 바이러스 전쟁 생명과학 26

사회

05 한국, 다문화 사회에 들어서다 사회·문화 32

06 아동을 지키는, 유엔 아동 권리 협약 정치·법 38

07 경제 활동의 필수품, 화폐 경제 44

08 고통을 전이하는 관습 사회·문화 50

기술

09 일상생활 속 RFID 기술 정보 통신 56

10 무엇이든 만들어요, 3차원 프린터 기계·소재 62

11 두 번 데우는 콘덴싱 보일러 기계·소재 68

12 옻칠의 매력은 어디에 있을까 화학 기술 74

인문

13	인간의 네 가지 유형	철학·사상	80
14	무의식이 반영되는 착오 행위	심리	86
15	역사를 연구하는 두 가지 방법	역사	92
16	앎과 실천의 관계를 논하다	철학·사상	98

예술

17	인상파, 느낌을 그리다	미술	104
18	영화에 소리가 없다면	영화·영상·공연	110
19	음악에 사용되는 반복 기법	음악	116
20	동양화의 여백이 주는 아름다움	미술	122

비문학 ❷ 차례 과학·사회·기술·인문·예술·융합

과학

01	우주에서 온 손님, 운석	8
02	신기루는 어떻게 생길까	14
03	몸속에도 시계가 있다	20

사회

04	간접 광고, 피할 수 없다면	26
05	빛 좋은 개살구, 레몬 시장	32
06	브랜드를 보호하는 두 가지 이론	38

기술

07	OLED 디스플레이 기술	44
08	가마솥부터 전기밥솥까지	50
09	대용량 이메일을 보내려면	56

인문

10	윤리학과 윤리 공동체의 변화	62
11	안다는 것은 무엇인가	68
12	루소의 사회 계약설	74

예술

13	한국 전통 음악의 특징	80
14	새로운 예술, 아르 누보	86
15	가장 창의적인 건축가, 가우디	92

융합

16	함께 나아가야 할 과학과 철학	98
17	현실을 보는 창, 풍속화	104
18	다수를 바꾸는 소수의 힘	110
19	기계화와 자동화의 두 얼굴	116
20	음악의 의미는 어디에서나 같을까	122

01

무한한 가능성을 가진 우리의 뇌

이번에 읽을 글은 환경과 경험에 따라 인간의 뇌가 어떻게 변화하는지 설명하고 있어.
글을 읽기 전에 어휘를 미리 알아 두면 글을 이해하는 데 도움이 될 거야.

읽기 전
어휘 체크

- 명상
- 영역
- 인식
- 고정
- 계발하다
- 감각

01 한자를 통해 뜻 추측하기

다음 한자를 보고 각 어휘의 뜻을 추측하시오.

명상	영역	인식	고정
冥 어둡다, 　　생각에 잠기다 　명 想 생각 　　　　상	領 차지하다 　영 域 구역 　　　역	認 알다 　　인 識 알다 　　식	固 굳다 　　고 定 정하다 　정
①	②	③	④

ㄱ	ㄴ	ㄷ	ㄹ
사물을 구별하여 가르고 판단하여 앎.	한 번 정한 대로 다르게 바꾸어 새롭게 고치지 않음.	고요히 눈을 감고 깊이 생각함. 또는 그런 생각.	활동, 기능, 효과, 관심 등이 미치는 일정한 범위.

02 문장을 통해 뜻 추측하기

다음 문장에 공통으로 쓰인 '계발하다'의 뜻을 추측하시오.

- 현수는 신문을 많이 읽어서 논리적인 사고를 계발했다.
- 그들은 실용적인 지식을 계발하여 실생활에 도움을 주었다.
- 학생들의 소질을 계발하기 위해 학교에서는 적성 검사를 실시했다.

① 슬기나 재능, 사상 등을 일깨워 주다.
② 아직까지 없던 기술이나 물건을 새로 생각하여 만들어 내다.
③ 잘못된 것이나 부족한 것, 나쁜 것 등을 고쳐 더 좋게 만들다.

03 자료를 통해 뜻 추측하기

다음을 보고 '감각'의 뜻을 추측하시오.

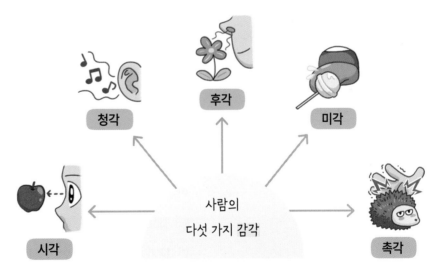

청각 후각 미각 시각 사람의 다섯 가지 감각 촉각

① 어떤 사물이나 사실을 실제와 다르게 지각하거나 생각함.
② 눈, 코, 귀, 혀, 살갗을 통하여 바깥의 어떤 자극을 알아차림.
③ 좋은 영향을 받아 생각이나 감정이 바람직하게 변화함. 또는 그렇게 변하게 함.

지금 배운 어휘들은 이어질 글에 **표시**해 두었어.
어휘의 뜻을 떠올리며 글을 읽어 보자.

01
무한한 가능성을 가진 우리의 뇌

이 글을 읽기 전에 먼저
이 글의 독해 포인트 를 확인해 보자!

독해 포인트

1 뇌가 무한한 가능성이 있다고 한 까닭은 무엇인가?

2 뇌에 대한 인식은 어떻게 달라졌는가?

#가 인간의 뇌를 연구하던 과학자들은 [1]대뇌 피질의 **영역**마다 담당하는 기능이 다르다는 사실을 발견하였다. 대뇌 피질은 **감각**, 운동, 사고와 같은 기능을 수행하는 중

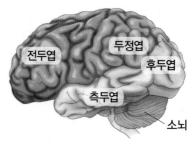

두정엽

전두엽

후두엽

측두엽

소뇌

▲ 대뇌 피질의 영역

요한 부분으로, 그중 [2]전두엽이 언어, 판단, 성격, 운동 조절을 담당한다. 따라서 전두엽이 손상되면 말을 이해하거나 몸을 움직이는 데에 어려움을 겪게 된다. 대뇌 피질의 나머지 부분은 감각 기관으로부터 들어오는 감각 정보를 처리한다. [3]두정엽은 온도나 통증과 같은 촉각 정보를, [4]후두엽은 시각 정보를, [5]측두엽은 청각과 후각 정보를 처리한다. 이와 같이 인간의 대뇌 피질은 영역에 따라 기능이 다르고, 그 영역별 기능은 **고정**되어 있다는 **인식**이 지금까지 이어져 왔다.

#나 그러나 최근 연구에 따르면, 대뇌 피질의 영역별 기능이 완전히 고정된 것은 아니라고 한다. 인간은 다양한 환경에 둘러싸여 여러 가지 경험을 하며 살아가는데, 그 경험에 따라 각 영역이 맡는 기능이 달라지기도 한다는 것이다. 이를 증명하고자 했던 과학자들은 빛을 완전히 차단한 공간에서 실험 참가자들이 손으로만 정보를 탐색하게 하였다. 과학자들은 시각 정보 처리를 맡았던 참가자들의 뇌 영역이 시간이 흐르면서 손에서 오는 촉각 정보를 처리하게 되었다는 사실을 발견하였다. 시각이 차단된 환경에서 정보를 처리하다 보니 실험 참가자들의 뇌 영역이 맡은 기능이 변화한 것이다.

어휘 태그

1 **대뇌 피질** 대뇌의 표면을 덮고 있는 얇은 층으로 신경 세포체가 밀집되어 있음.
2 **전두엽** 대뇌의 양쪽에 있는 반구 모양의 덩어리에서 앞부분.
3 **두정엽** 대뇌의 양쪽에 있는 반구 모양의 덩어리에서 가운데 꼭대기 부분.
4 **후두엽** 대뇌의 양쪽에 있는 반구 모양의 덩어리에서 맨 뒷부분.
5 **측두엽** 대뇌의 양쪽에 있는 반구 모양의 덩어리에서 옆쪽 고랑 아래에 있는 부분.

#다 또 경험이 뇌의 영역별 기능뿐만 아니라 뇌 [6]조직에 변화를 일으킬 수도 있다는 사실이 밝혀졌다. 한 예로, 인간의 뇌에는 공간에 관한 정보를 기억하고 필요할 때 이 저장된 공간 기억을 불러오는 해마라는 [7]기관이 있어, 우리는 이 해마 덕분에 집으로 가는 길을 떠올릴 수 있다. 그런데 이 해마의 크기가 경험에 따라 달라진다는 사실이 과학자들의 연구를 통해 밝혀졌다. 과학자들이 택시 기사의 뇌와 버스 기사의 뇌를 비교하자, 손님의 목적지에 따라 매번 새로운 길을 탐색해야 하는 택시 기사의 해마가, 정해진 [8]노선대로 운전하는 버스 기사의 해마보다 더 컸던 것이다.

#라 다른 사례들도 이를 뒷받침한다. 평소에 **명상**을 자주 하는 사람들은 주의 집중의 기능을 담당하는 뇌 영역이 일반인들에 비해 더 컸다. 또 [9]현악기 연주를 연습하는 사람은 현의 음색과 왼손의 움직임을 담당하는 뇌 영역이, 트럼펫 연주를 연습하는 사람은 금속에서 나는 소리에 반응하는 뇌 영역이 다른 사람들보다 더 컸다.

#마 과거의 사람들은 다 자란 뇌는 변화하지 않는다고 생각하였다. 그러나 위와 같은 연구 결과가 쌓이면서 오늘날 우리는 뇌가 어떤 환경에 놓이는지, 어떤 경험을 하는지에 따라 끊임없이 변화할 수 있음을 알게 되었다. 이 사실은 경험을 통해 우리가 원하는 방향으로 뇌를 **계발할** 수 있음을 의미한다. 연구를 통해 우리의 뇌가 가진 ㉠무한한 가능성을 알게 된 셈이다.

#문단별 핵심 태그

가 # _____ 피질의 영역마다 기능이 다르며, 영역별 기능은 고정되어 있다는 인식

나 경험에 따라 대뇌 피질의 영역별 # _____ 이 달라진 사례 — 빛 차단 실험

다 경험에 따라 뇌 조직이 변화한 사례 ① — # _____ 기사와 버스 기사의 해마 연구

라 경험에 따라 뇌 조직이 변화한 사례 ② — # _____ 이나 악기 연주를 자주 하는 사람들의 뇌 연구

마 어떤 # _____ 이냐, 어떤 경험이냐에 따라 변화할 수 있는 뇌의 무한한 가능성

어휘 태그

6 **조직** 동일한 기능과 구조를 가진 세포의 집단.
7 **기관** 생물의 몸에서 일정한 모양과 생물학적 기능을 가지고 있는 부분.
8 **노선** 버스, 기차, 비행기 등의 교통수단이 일정한 두 지점 사이에 정해 놓고 다니는 길.
9 **현악기** 가야금·바이올린과 같이 현(줄)을 문지르거나 퉁겨서 소리를 내는 악기.

1 환경과 경험에 따른 뇌의 변화 사례

뇌 영역의 기능 변화 사례	빛을 완전히 차단하는 실험에서 ①[ ][ ] 정보를 처리하던 뇌 영역이 촉각 정보를 처리함.
뇌 조직의 변화 사례	• 택시 기사와 버스 기사의 해마 크기를 비교한 연구에 따르면, 매번 새로운 길을 탐색해야 하는 ②[ ][ ] 기사의 해마가 더 큼. • 자주 명상하는 사람들은 주의 집중을 담당하는 뇌 영역이 일반인보다 큼. • 자주 악기를 연주하는 사람들은 악기의 소리나 연주 동작에 관한 뇌 영역이 일반인보다 큼.

2 뇌에 대한 인식의 변화

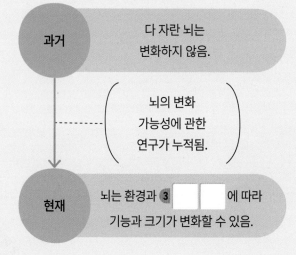

과거 : 다 자란 뇌는 변화하지 않음.

뇌의 변화 가능성에 관한 연구가 누적됨.

현재 : 뇌는 환경과 ③[ ][ ] 에 따라 기능과 크기가 변화할 수 있음.

01 #가 를 바탕으로 #나 의 실험을 이해할 때, 그 내용으로 적절하지 <u>않은</u> 것은?

① 빛을 차단하기 전에는 두정엽이 촉각 정보를 처리했겠군.
② 빛을 차단한 후에는 두정엽이 시각 정보를 처리하게 되었겠군.
③ 빛을 차단한 것은 시각 정보가 뇌에 들어가지 않도록 막기 위한 것이겠군.
④ 환경과 경험이 뇌 영역이 맡은 기능에 영향을 준다는 사실을 알려 주는 것이겠군.
⑤ 뇌의 영역별 기능이 변화할 수 있음을 실험을 통해 과학적으로 증명한 것이겠군.

02 이 글에서 우리의 '뇌'가 무한한 가능성이 있다고 한 까닭으로 가장 적절한 것은?

① 인간의 뇌가 동물의 뇌보다 뛰어나기 때문에
② 뇌의 세포는 죽을 때까지 만들어지기 때문에
③ 뇌의 영역에 따라 맡은 기능이 다르기 때문에
④ 연구를 통해 뇌에 대한 사람들의 인식이 바뀌었기 때문에
⑤ 경험을 통해 뇌를 원하는 방향으로 계발할 수 있기 때문에

03 이 글을 참고할 때. 보기 의 빈칸에 들어가기에 가장 적절한 것은?

> 보기
> 슬기는 얼마 전 교통사고로 [   ]을/를 크게 다쳤다. 지능이 나빠졌다거나 귀를 다친 것이 아니었는데도 사고 이후로 슬기는 다른 사람의 말을 이해하는 것이 어려워졌다.

① 해마 　② 전두엽 　③ 두정엽
④ 후두엽 　⑤ 측두엽

독해 포인트 문제

04 보기는 #다의 사례를 그림으로 나타낸 것이다. 이 글의 내용과 일치하지 않는 것은?

보기

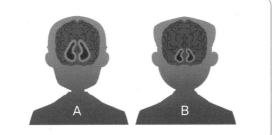

① A는 택시 기사, B는 버스 기사이다.
② 붉은색으로 표시된 조직의 이름은 '해마'이다.
③ 붉은색으로 표시된 조직의 크기는 태어날 때 결정된다.
④ A는 B보다 새로운 길을 탐색한 경험이 더 많을 것이다.
⑤ A의 뇌와 B의 뇌의 차이는 뇌 조직이 변화할 수 있음을 보여 준다.

독해 포인트 문제

05 보기는 '뇌'에 대한 인식의 변화이다. 빈칸에 들어갈 알맞은 말을 바르게 묶은 것은?

보기

과거	다 자란 뇌는 변하지 않음.

↓

현재	뇌는 [　　　]과 [　　　]에 따라 끊임없이 변화할 수 있음.

ㄱ. 경험　　　　ㄴ. 소질
ㄷ. 유전　　　　ㄹ. 환경

① ㄱ, ㄴ　　　② ㄱ, ㄷ　　　③ ㄱ, ㄹ
④ ㄴ, ㄷ　　　⑤ ㄷ, ㄹ

06 ㉠과 바꾸어 쓰기에 가장 적절한 것은?

① 헛된　　　② 창피한　　　③ 뚜렷한
④ 끝없는　　⑤ 어리석은

완벽 마스터 문제

07 이 글에 나타난 '뇌'에 대한 설명으로 적절하지 않은 것은?

① 뇌의 영역은 자주 사용할수록 그 크기가 커진다.

(라)에서 명상을 자주 하는 사람은 주의 집중을 담당하는 뇌 영역이 일반인에 비해 크다고 하였다.

② 대뇌 피질에는 사람의 성격을 담당하는 영역이 있다.

(가)에서 [❶　　　　　　]이 인간의 성격을 담당한다고 하였다.

③ 공간을 기억하고 떠올리는 기능을 하는 뇌 조직이 있다.

(다)에서 [❷　　　　　　]는 공간을 기억하고 저장된 공간 기억을 불러오는 기능을 한다고 하였다.

④ 특정한 신체 부위의 움직임을 담당하는 뇌 영역이 있다.

(라)에서 현악기를 자주 연주하면 왼손의 움직임을 담당하는 뇌 영역이 커짐을 알 수 있다.

⑤ 청각과 같은 감각 정보는 대뇌 피질의 모든 영역에서 처리한다.

(가)에서 시각은 후두엽에서, 청각과 후각은 측두엽에서, 촉각은 두정엽에서 처리한다고 하였다.

7문제 중에
_____ 문제 맞혔어!

02

이글루에 담긴 과학적 원리

이번에 읽을 글은 이글루를 만드는 방법과 이글루 안이 따뜻한 이유를 설명하고 있어.
글을 읽기 전에 어휘를 미리 알아 두면 글을 이해하는 데 도움이 될 거야.

읽기 전 어휘 체크

○ 반구

○ 주거

○ 난방

○ 원주민

○ 융해

○ 응고

○ 적도

01 한자를 통해 뜻 추측하기

다음 한자를 보고 각 어휘의 뜻을 추측하시오.

반구	주거	난방	원주민
半 반, 절반　반 球 공　구	住 살다　주 居 살다　거	暖 따뜻하다　난 房 방, 거실　방	原 원래　원 住 살다　주 民 백성, 사람　민
①	②	③	④

ㄱ	ㄴ	ㄷ	ㄹ
일정한 곳에 머물러 삶. 또는 그런 집.	실내의 온도를 높여 따뜻하게 하는 일.	그 지역에 본디부터 살고 있는 사람들.	구(공처럼 둥글게 생긴 것)를 반으로 자른 모양.

02 사전에서 뜻 찾기

다음 과학 용어 사전을 참고하여 빈칸에 들어갈 어휘를 골라 쓰시오.

과학 용어 사전

- **융해**: 고체가 열에너지를 흡수하여 액체로 변하는 현상.
- **응고**: 액체가 열에너지를 방출하여 고체로 변하는 현상.

(1) 촛불에 녹았던 촛농이 바닥에 떨어지면 하얗게 [   ]된다.

(2) 더운 여름날 아이스크림을 냉장고 밖에 꺼내 두면 [   ]가 일어난다.

03 자료를 통해 뜻 추측하기

다음을 보고 '적도'의 뜻을 추측하시오.

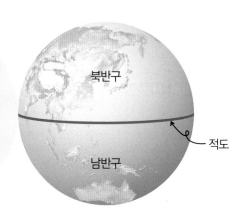

적도를 기준으로
지구를 둘로 나누었을 때,
위쪽을 '북반구',
아래쪽을 '남반구'라고
부른다.

북반구

남반구

적도

① 남극과 북극을 중심으로 한 그 주변 지역.

② 비가 거의 내리지 않아 식물이 잘 자라지 않는 척박한 지역.

③ 지구의 남극과 북극으로부터 같은 거리에 있는 지구 표면의 점을 이은 선.

지금 배운 어휘들은 이어질 글에 **표시**해 두었어.
어휘의 뜻을 떠올리며 글을 읽어 보자.

02
이글루에 담긴 과학적 원리

이 글을 읽기 전에 먼저
이 글의 독해 포인트 를 확인해 보자!

독해 포인트

1 이글루가 단단한 얼음집이 되는 원리는 무엇인가?

2 이글루 안이 따뜻한 까닭은 무엇인가?

#가 사람들은 이누이트 하면 흔히 이글루를 [1]연상한다. 이글루는 벽돌 모양으로 자른 눈을 **반구** 모양으로 쌓아 만든 **주거** 시설이다. 사실 북극의 **원주민**인 이누이트의 주거 시설에는 얼음과 눈을 사용한 집 외에도 나무나 가죽으로 만든 것도 있으며, 원래 '이글루'라는 말은 이누이트의 다양한 주거 시설을 통틀어 이르는 말이었다. 그러나 그중 눈으로 만든 집이 [2]외지인들에게 독특하게 보였기 때문에 지금은 그것만 일컫는 말이 되었다. 그런데 이누이트들은 눈으로 어떻게 튼튼한 집을 만들 수 있었을까? 또 이글루 안을 어떻게 따뜻하게 덥혔을까?

#나 이누이트들은 눈으로 만든 벽돌을 쌓아 반구 모양의 이글루를 만들고 나서 출입구를 닫은 채로 이글루 안에서 불을 피운다. 그러면 이글루 내부의 온도가 올라가 눈이 **융해**되면서 벽돌 사이의 빈틈을 메운다. 어느 정도 눈이 녹으면 그들은 출입구를 열어 ㉠의 물이 다시 얼음으로 **응고**되도록 한다. 이 과정을 반복하면 빈틈이 많았던 눈 벽돌집은 단단한 얼음집으로 변한다.

#다 이글루는 얼음으로 만들어져 추울 것 같지만, 그 안은 바깥보다 훨씬 따뜻하다. 그 이유는 이글루가 반구 모양으로 생겼기 때문이다. 그래서 이글루는 [3]지면보다 더 많은 태양 에너지를 받는다. 이것은 태양 빛을 거의 수직으로 받는 **적도** 지방이 태양 빛을 수평에 가깝게 받는 [4]극지방보다 면적당 더 많은 태양 에너지를 받는 것과 같은 이치이다.

어휘 태그

1 **연상한다** 어떤 사물을 생각할 때 그와 관련된 다른 사물을 마음속에 떠올린다.
2 **외지인** 그 고장(사람이 많이 사는 지방이나 지역) 사람이 아닌 사람.
3 **지면** 땅의 겉 부분.
4 **극지방** 남극과 북극을 중심으로 한 그 주변 지역.

#라 어떤 과학자들은 이글루 안이 따뜻한 이유를 온실 효과로 설명한다. 지구로 들어오는 태양 [5]복사 에너지의 대부분은 지구의 [6]대기를 통과한다. 그러나 지구가 열을 외부로 방출하는 복사 에너지는 많은 양이 지구의 대기에 의해 흡수되어 우주로 나가지 못하고 지구 안에 머물게 된다. 이 때문에 지구의 온도는 마치 온실 안에 있는 것처럼 따뜻하게 유지되는데, 이를 '온실 효과'라고 한다. 이글루도 내부에서 외부로 나가는 복사 에너지가 얼음에 의해 [7]차단되므로 내부가 따뜻한 것이다.

#마 이글루 안이 추울 때 이누이트들은 바닥에 물을 뿌린다. 여름에 물을 뿌리면 시원해지는 것을 경험한 사람은 의아해할 것이다. 여름철의 뜨거운 마당에 뿌린 물은 [8]증발되면서 열을 흡수하기 때문에 주변이 시원해지지만, 이글루의 차가운 바닥에 뿌린 물은 곧 얼면서 열을 방출하기 때문에 실내 온도가 올라간다. 물이 증발될 때에는 열의 ⓐ흡수가, 얼 때에는 열의 ⓑ방출이 일어나기 때문이다.

#바 이누이트들이 처음 이글루를 만들 때 융해와 응고, 복사, 증발 등의 과학적 원리를 고려하지는 않았을 것이다. 그러나 그들은 접착제를 사용하지 않고 눈으로만 튼튼하고 따뜻한 구조물을 만들었으며, 또한 물을 이용하여 **난방**을 하였다. 이처럼 이글루에는 [9]극한 지역에서 살아가는 사람들이 경험을 통해 터득한 삶의 지혜가 담겨 있다.

#문단별 핵심 태그

가 이누이트들이 눈으로 만드는 주거 시설, **#**

나 이글루의 제작 방법 ─ **#**   와 응고의 원리로 만드는 단단한 얼음집

다 이글루의 난방 원리 ① ─ 태양 에너지를 많이 받는 **#**   모양

라 이글루의 난방 원리 ② ─ 얼음이 복사 에너지를 차단해 **#**   발생

마 이글루의 난방 원리 ③ ─ 바닥에 뿌린 물이 얼면서 **#**   방출

바 융해, 응고, 복사, 증발 등의 **#**   원리와 이누이트들의 지혜가 담긴 이글루

어휘 태그

5 **복사 에너지** 중간에 에너지를 전달하는 물질이 없어도 열이 이동하여 전해지는 에너지.
6 **대기** 행성이나 별 등의 표면을 둘러싸고 있는 기체.
7 **차단되므로** 다른 것과의 관계를 끊거나 막아서 서로 통하지 못하게 하므로.
8 **증발되면서** 어떤 물질이 액체 상태에서 기체 상태로 변하게 되면서.
9 **극한** 몹시 심하여서 견디기 어려운 추위.

1 이글루가 단단한 얼음집이 되는 원리

눈으로 만든 벽돌을 반구 모양으로 쌓음.

↓

출입구를 닫은 채로 **1** ☐ 을 피워 눈 벽돌을 녹임.

융해의 원리

↓

녹은 물이 벽돌 사이의 빈틈을 메움.

↓

출입구를 열어 녹은 물을 얼림.

2 ☐☐ 의 원리

반복

2 이글루의 난방 원리

원리 ①	**3** ☐☐ 모양으로 생겼기 때문에 지면보다 더 많은 태양 에너지를 받음.
원리 ②	이글루 내부에서 외부로 나가는 복사 에너지를 얼음이 차단하여 온실 효과가 나타남.
원리 ③	이글루 바닥에 물을 뿌리면, 물이 얼면서 **4** ☐☐ 하는 열이 실내 온도를 높임.

01 '이글루'에 대한 글쓴이의 평가로 가장 적절한 것은?

① 역사적으로 가치 있는 건축물이다.
② 이누이트의 삶의 지혜가 담긴 결과물이다.
③ 부족한 부분을 보완해야 하는 주거 시설이다.
④ 첨단 기술이 사용된 과학 발전의 결과물이다.
⑤ 원리가 밝혀지지 않은 신비로운 자연 현상이다.

독해 포인트 문제

02 다음은 '이글루'를 얼음집으로 만드는 과정이다. '응고'의 원리가 나타난 단계로 적절한 것은?

① 눈을 벽돌 모양으로 자른다.

↓

② 눈 벽돌을 반구 모양으로 쌓는다.

↓

③ 출입구를 닫고 불을 피워 눈 벽돌을 녹인다.

↓

④ 녹은 물이 눈 벽돌 사이의 빈틈을 메운다.

↓

⑤ 출입구를 열어 녹은 물을 다시 얼린다.

03 '이글루'를 만드는 과정에서 ㉠이 어떤 역할을 하는지 #바 에서 찾아 세 글자로 쓰시오.

04 #마 를 참고할 때, 보기 의 A, B에 들어갈 알맞은 말을 바르게 연결한 것은?

보기

남학생이 추위를 느끼는 이유는 몸에 있는 물이 　A　 하면서 주변의 열을 　B　 하기 때문이다.

	A		B
①	융해	—	방출
②	융해	—	흡수
③	증발	—	방출
④	증발	—	흡수
⑤	반사	—	방출

독해 포인트 문제

05 '이글루'를 난방하는 방법에 대한 대화 내용으로 적절하지 않은 것은?

① 은우: 이글루는 반구 모양이라서 지면보다 많은 태양 에너지를 받을 수 있지.

② 슬기: 이글루의 얼음벽은 이글루 내부의 열이 밖으로 나가지 않게 차단해 줘.

③ 수지: 지구가 따뜻하게 유지되는 온실 효과와 같은 원리인 셈이구나.

④ 도연: 출입구를 열고 닫는 과정을 반복하는 것도 이글루를 따뜻하게 하는 데 도움이 돼.

⑤ 민형: 그래도 춥다면 이글루 안에 물을 뿌리면 돼. 물이 얼면서 열을 방출하거든.

06 두 어휘의 관계가 ⓐ : ⓑ의 관계와 유사한 것은?

① 수박 : 포도　　② 내부 : 외부

③ 시계 : 분침　　④ 나이 : 연세

⑤ 포유류 : 사자

완벽 마스터 문제

07 이 글의 내용과 일치하지 않는 것은?

① 이글루는 매우 추운 지역의 주거 시설이다.

(바)에서 이글루에는 [❶　　　　] 지역에서 살아가는 사람들의 지혜가 담겨 있다고 하였다.

② 오늘날 '이글루'라는 말은 의미가 축소되어 사용되고 있다.

(가)에서 '이글루'라는 말은 원래 나무나 가죽으로 된 이누이트들의 다른 주거 시설도 통틀어 이르는 말이었다고 하였다.

③ 지구의 온도가 따뜻한 이유는 지구에 대기가 있기 때문이다.

(라)에서 지구가 외부로 방출하는 [❷　　　　] 에너지를 지구의 대기가 흡수하기 때문에 지구의 온도가 따뜻하게 유지된다고 하였다.

④ 이누이트들은 과학적인 설계도를 바탕으로 이글루를 지었다.

(바)에서 이누이트들이 이글루를 지을 때 과학적 원리를 고려하지는 않았을 것이라고 하였다.

⑤ 지구의 적도 지방은 극지방에 비해 태양 에너지를 더 많이 받는다.

(다)에서 태양 빛을 수평에 가깝게 받는 극지방과 달리, 적도 지방은 거의 [❸　　　　]으로 받기 때문에 적도 지방이 면적당 더 많은 태양 에너지를 받는다고 하였다.

7문제 중에

＿＿＿＿ 문제 맞혔어!

03 소리는 어떻게 전달될까

이번에 읽을 글은 소리가 만들어지고 전달되는 과정과 소리의 속성을 설명하고 있어.
글을 읽기 전에 어휘를 미리 알아 두면 글을 이해하는 데 도움이 될 거야.

읽기 전 어휘 체크

- 진공
- 진동
- 도달
- 흡음재
- 생성되다
- 파동

01 한자를 통해 뜻 추측하기

다음 한자를 보고 각 어휘의 뜻을 추측하시오.

진공		진동		도달		흡음재	
眞 정말로	진	振 떨다	진	到 이르다	도	吸 마시다	흡
空 비다	공	動 움직이다	동	達 다다르다	달	音 소리	음
						材 재료	재
①		②		③		④	

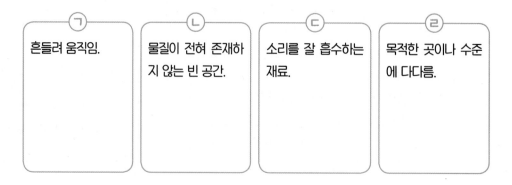

ㄱ	ㄴ	ㄷ	ㄹ
흔들려 움직임.	물질이 전혀 존재하지 않는 빈 공간.	소리를 잘 흡수하는 재료.	목적한 곳이나 수준에 다다름.

02 문장을 통해 뜻 추측하기

다음 문장에 공통으로 쓰인 '생성되다'의 뜻을 추측하시오.

- 태양열을 이용하여 생성된 에너지는 생활 곳곳에서 쓰인다.
- 이번 달 과학 잡지에는 우주가 생성된 과정이 자세히 나와 있다.
- 화학 실험을 할 때에는 독성 물질이 생성될 수도 있으므로 주의해야 한다.

① 사물이 생겨나다.
② 부담이나 고통을 더 크게 받게 되다.
③ 인간이 생활하는 데 필요한 각종 물건을 만들어 내다.

03 자료를 통해 뜻 추측하기

다음을 보고 '파동'의 뜻을 추측하시오.

파동은 수면에 이는 물결,
음파, 빛의 움직임을
이르는 말로, 우리가
귀로 듣는 소리도
파동으로 전달된다.

① 빨아서 거두어들임.
② 한 바퀴 돌아 제자리로 돌아오거나 돌아감.
③ 공간의 한 점에 생긴 물리적인 상태의 변화가 차츰 둘레에 퍼져 가는 현상.

지금 배운 어휘들은 이어질 글에 표시해 두었어.
어휘의 뜻을 떠올리며 글을 읽어 보자.

03
소리는 어떻게 전달될까

이 글을 읽기 전에 먼저
이 글의 독해 포인트 를 확인해 보자!

독해 포인트

1 소리는 어떻게 생성되고 전달되는가?

2 소리의 특성에는 무엇이 있는가?

#1문단 눈을 감고 주변에서 들리는 소리에 귀 기울여 보자. 우리가 사는 세상은 다양한 소리로 가득 차 있다. 이 소리들은 어떻게 만들어질까? 모든 소리는 물체가 **진동**하면서 **생성된다**. 목소리는 [1]성대가 진동하면서, 종소리는 종이 진동하면서, 기타 소리는 기타 줄이 진동하면서 만들어지는 소리이다. 이렇게 물체가 진동하면서 만들어진 소리는 **파동**이 되어 우리의 귓속으로 들어온다. 소리가 우리의 귀에 **도달**하기 위해서는 물체의 진동을 귀까지 전달하는 물질이 필요한데, 이 물질을 '[2]매질'이라고 부른다. 공기가 대표적인 매질이다. 만약 우리가 **진공** 상태에서 대화를 한다면, 바로 앞에서 말하는 친구의 목소리를 들을 수 없을 것이다. 공기 말고도 물, 실, 용수철, 유리, 나무, 흙 등 매질의 종류는 다양하다.

#2문단 소리는 파동에 의해 전달되므로 반사, 흡수, 회절과 같은 여러 특성을 지닌다. 방 안에서 상대방이 이야기를 하면 그 소리가 잘 들리지만, 같은 크기의 목소리로 운동장이나 들판에서 이야기를 하면 잘 들리지 않는다. 방 안에서는 목소리가 벽과 천장 등에 부딪혀 반사되어 되돌아오므로 내 귀에 도달하지만, [3]야외에서는 소리를 반사하는 벽이나 천장이 없어 소리가 ㉠그대로 하늘로 퍼져 나가기 때문이다. 우리가 방 안에서 상대방의 목소리를 듣는다고 할 때, 사실상 듣는 소리는 두 가지이다. 하나는 상대방이 직접 내는 목소리 그 자체이고, 다른 하나는 벽과 천장 등에서 반사된 목 소리이다.

어휘 태그

1 **성대** 목에서 공기에 의해 진동되어 소리를 내는 기관.
2 **매질** 어떤 파동 또는 물리적 작용을 한 곳에서 다른 곳으로 옮겨 주는 매개물.
3 **야외** 집 밖이나, 위·아래·옆을 덮거나 가리지 않은 곳.

#3문단 그런데 소리가 반사된다고 해서 그 소리가 계속 남아 있는 것은 아니다. 소리는 반사도 되지만 벽이나 방 안에 있는 물체에 의해 흡수되기도 한다. 만약 소리가 흡수되지 않는다면 우리의 귀는 계속 반사되는 소리를 들어야 할 것이다. 일반적으로 소리의 흡수는 부딪히는 물질이 단단할수록 적게 일어나고, 부드러울수록 많이 일어난다. 소리의 흡수는 실내 벽과 천장, 바닥을 [4]시공할 때 [5]유용하게 활용된다. 예를 들어 음악 감상실을 만들 때에는 벽면에 **흡음재**라는 [6]자재를 사용한다. 구멍이 많고 부드러운 스펀지나 [7]펠트로 만들어진 흡음재는 벽에 부딪히는 소리를 흡수하여 방 안에 소리가 울리지 않도록 해 준다. 그 결과 반사되는 소리를 줄여 음악 고유의 소리를 제대로 감상할 수 있게 된다.

#4문단 우리는 높은 담 밖에서도 운동장에서 나는 소리를 자연스럽게 듣는다. 그런데 어떻게 담에 가로막힌 소리가 담 너머로 전달되는지 의문이 생긴다. 이 현상은 소리의 회절 때문이다. 회절이란 진행하던 파동이 장애물을 만나면, 파동이 휘어져 진행하는 것을 말한다. 연못에 돌을 던졌다고 가정해 보자. 연못 한가운데에 바위가 놓여 있는데도 던진 돌이 만든 파동이 바위에 반사만 되는 것이 아니라, 바위 반대편으로도 진행하는 것을 볼 수 있을 것이다. 이것이 회절이다. 파동의 진행이 장애물에 의해 방해받더라도 파동 중 한 점에서 또 다른 파동을 만들면서 파동은 계속 진행해 나간다. 따라서 운동장이 높은 담으로 가려져 있어도, 운동장에서 나는 소리가 담 너머로 타고 넘어와 우리 귀에 들리는 것이다.

#문단별 핵심 태그

1문단 소리의 생성과 전달 — 물체의 [#]으로 생긴 소리의 파동이 귀로 들어옴

2문단 소리의 특성 ① 반사 — 물체에 [#]되어 되돌아옴

3문단 소리의 특성 ② 흡수 — 물체에 의해 [#]되기도 함

4문단 소리의 특성 ③ 회절 — [#]이 장애물을 만나면 휘어져 진행함

23

어휘 태그

4 **시공할** 공사를 실지로 행할.
5 **유용하게** 쓸모가 있게.
6 **자재** 무엇을 만들기 위한 기본적인 재료.
7 **펠트(felt)** 양털이나 그 밖의 짐승의 털에 습기·열·압력을 가하여 만든 천.

지문의 난이도는 어땠어?

확인하기

1 소리가 생성되고 전달되는 과정

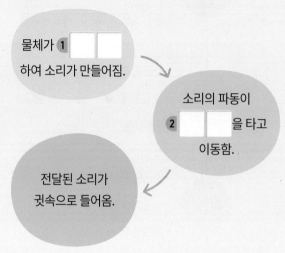

물체가 [1]□□ 하여 소리가 만들어짐.

소리의 파동이 [2]□□을 타고 이동함.

전달된 소리가 귓속으로 들어옴.

2 소리의 특성

[3]□□	소리가 물체에 부딪혀 되돌아옴. ⑩ 야외보다 벽과 천장이 있는 방 안에서 소리가 더 잘 들림.
흡수	소리가 물체에 의해 흡수되기도 함. ⑩ 음악 감상실의 벽에 [4]□□□□를 사용하여 방 안에 소리가 울리지 않게 함.
[5]□□	소리의 파동이 장애물을 만나면 장애물 뒤쪽으로 휘어져 진행됨. ⑩ 운동장에서 나는 소리가 담 밖에서도 들림.

01 이 글을 통해 확인할 수 없는 것은?

① 소리가 생성되는 방법
② 소리가 지닌 여러 가지 특성
③ 소리의 높낮이가 다양한 까닭
④ 소리가 우리 귀에 전달되는 방법
⑤ 장애물이 있어도 소리가 들리는 까닭

02 이 글의 설명 방식으로 적절한 것은?

① 반사와 흡수의 장단점을 비교하고 있다.
② 흡음재가 만들어지는 과정을 보여 주고 있다.
③ 회절의 원리가 활용되는 분야를 제시하고 있다.
④ 상황을 가정하여 소리의 회절을 설명하고 있다.
⑤ 소리를 듣는 데 사용되는 신체 기관을 나열하고 있다.

독해 포인트 문제

03 보기에서 '매질'의 역할을 하는 것이 무엇인지 한 단어로 쓰시오.

보기

서준이는 성은이와 실 전화기를 만들어 놀았다. 실로 연결된 종이컵에 말을 하면 상대방이 자신의 목소리를 들을 수 있어 신기했다.

독해 포인트 문제

04 '소리'의 특성으로 적절하지 <u>않은</u> 것은?

① 반사는 소리가 물체에 부딪혀 되돌아오는 현상이다.
② 반사된 소리는 흡수가 일어나지 않으면 계속 반사된다.
③ 진행하던 소리는 매질이 없어지면 파동이 휘어져 진행한다.
④ 진행하던 소리가 장애물을 만나면 반사와 회절이 모두 일어날 수 있다.
⑤ 부딪히는 물질이 얼마나 단단한지에 따라 소리가 흡수되는 정도가 다르다.

05 이 글을 바탕으로 보기를 이해할 때, 그 내용으로 적절하지 <u>않은</u> 것은?

> **보기**
>
> 폐광이었던 광명의 어느 동굴에서 오페라 공연이 열렸다. 국내에서 처음으로 동굴을 활용한 공연장이다. 금관 악기 오중주와 가수의 노랫소리가 동굴 가득 울려 퍼졌다. 이 동굴 공연장은 일반 공연장에 비해 소리가 두 배 정도 길게 머물러 관람객에게 음악을 풍성하게 들을 수 있었다는 좋은 평가를 받았다.

① 동굴 공연장은 야외 공연장보다 음악이 풍성하게 들리겠군.
② 동굴 공연장은 벽이 단단하기 때문에 소리를 적게 흡수했겠군.
③ 동굴 공연장은 음악 고유의 소리를 잘 들을 수 있도록 흡음재를 사용했겠군.
④ 동굴 공연장은 정확한 정보를 전달해야 하는 연설의 장소로는 적합하지 않겠군.
⑤ 일반 공연장보다 동굴 공연장에 소리가 두 배 정도 길게 머문 이유는 소리의 반사가 많이 일어났기 때문이겠군.

06 ㉠의 문맥적 의미와 거리가 가장 <u>먼</u> 것은?

① <u>그대로</u> 꼼짝 말고 있어.
② <u>그대로</u> 보고만 있을 수는 없었다.
③ 친구가 준 편지를 <u>그대로</u> 간직했다.
④ 자식은 부모를 <u>그대로</u> 닮기 마련이다.
⑤ 당분간 동생을 <u>그대로</u> 내버려 둘 생각이다.

완벽 마스터 문제

07 이 글을 통해 알 수 <u>없는</u> 것은?

① 진공 상태에서는 소리가 전달되지 않는다.

> 진공은 어떤 물질도 존재하지 않는 상태이다. 1문단에서 소리는 진동을 전달할 물질이 있어야 전달된다고 하였다.

② 사람의 목소리는 성대가 진동하여 만들어진다.

> 1문단에서 사람의 목소리는 [ ]를 진동하여 만든다고 하였다.

③ 파동은 기체뿐만 아니라 액체를 통해서도 전달된다.

> 1문단에서 물체의 진동을 전달하는 대표적인 매질은 [❷]이지만, 액체인 물을 통해서도 전달된다고 하였다.

④ 우리가 방 안에서 듣는 상대방의 목소리는 사실상 두 가지이다.

> 2문단에서 우리가 상대방의 목소리를 들을 때는 상대방이 직접 내는 소리와, 그 소리가 반사된 소리 두 가지를 듣는 것이라고 하였다.

⑤ 실내보다 야외에서 소리가 잘 들리지 않는 까닭은 매질이 없기 때문이다.

> 2문단에서 야외에서는 소리를 반사하는 벽이나 천장이 없어 소리가 잘 들리지 않는다고 하였다.

7문제 중에 ___ 문제 맞혔어!

04 우리 몸속 바이러스 전쟁

이번에 읽을 글은 병을 일으키는 바이러스와 이를 막는 우리 몸의 면역 체계를 설명하고 있어.
글을 읽기 전에 어휘를 미리 알아 두면 글을 이해하는 데 도움이 될 거야.

읽기 전
어휘 체크

○ 감염

○ 면역

○ 항원

○ 항체

○ 증상

○ 경로

01 사전에서 뜻 찾기

다음 의학 용어 사전을 참고하여 빈칸에 들어갈 어휘를 골라 쓰시오.

의학 용어 사전

- **감염**: 병의 원인이 되는 미생물이 동물이나 식물의 몸 안에 들어가 늘어남.
- **면역**: 몸 안에 들어온 세균이나 바이러스에 대항하는 물질이 생겨서, 다음에는 그 병에 걸리지 않도록 된 상태나 그런 작용.
- **항원**: 생물에 침입하여 항체를 만들게 하는 물질로, 면역 반응을 일으키게 만듦.
- **항체**: 항원이 몸에 들어왔을 때, 항원에 대항하기 위해 몸이 만들어 내는 물질.

(1) 예방 접종을 한 덕분에 그 병균에 대한 [   ] 가 형성되었다.

(2) 이 병은 소, 돼지 등의 가축에 [   ] 되어 매우 빠르게 전염된다.

(3) 홍역을 한 번 앓았다가 나은 사람은 홍역에 대해 [   ] 이 생긴다.

(4) 알레르기를 일으키는 [   ] 은 꽃가루, 진드기, 갑각류 등 다양하다.

02 문장을 통해 뜻 추측하기

다음 문장에 공통으로 쓰인 '증상'의 뜻을 추측하시오.

> • 시간이 지날수록 증상이 심해지고 있다.
> • 온몸에 빨간 반점이 생기는 것은 홍역의 증상이다.
> • 발열 증상이 나타나면 최대한 빨리 병원에 가야 한다.

① 몸이나 마음의 괴로움과 아픔.
② 병을 앓을 때 나타나는 여러 가지 상태나 모양.
③ 어떤 사실이 진실인지 아닌지를 밝힐 수 있는 근거.

03 자료를 통해 뜻 추측하기

다음을 보고 '경로'의 뜻을 추측하시오.

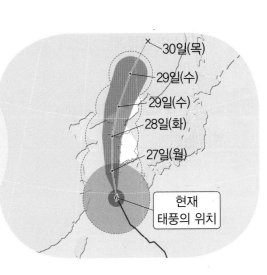

태풍의 진행 경로로 보아 28일 오후에는 태풍이 서울에 도착할 것으로 예상됩니다.

30일(목)
29일(수)
29일(수)
28일(화)
27일(월)

현재 태풍의 위치

① 지나는 길.
② 뒤로 물러날 길.
③ 두 길이 엇갈린 곳. 또는 서로 엇갈린 길.

지금 배운 어휘들은 이어질 글에 표시해 두었어.
어휘의 뜻을 떠올리며 글을 읽어 보자.

04
우리 몸속 바이러스 전쟁

이 글을 읽기 전에 먼저
이 글의 독해 포인트 를 확인해 보자!

독해 포인트

1 바이러스의 종류에는 무엇이 있는가?

2 우리 몸은 바이러스와 어떻게 싸우는가?

#1문단 바이러스에 대해 들어 본 적이 있는가? 바이러스란 생물의 세포에 [1]기생하면서 병을 일으키는, 아주 작은, 심지어 세균보다도 작은 미생물을 뜻한다. '바이러스(virus)'라는 이름은 라틴어로 '독'이라는 뜻의 '비루스(virus)'에서 왔다. 마치 독처럼 우리 몸을 **감염**시켜 병을 일으키기 때문에 이 같은 이름이 붙었다.

#2문단 바이러스가 일으키는 질병 중 우리가 흔하게 접하는 것으로 감기와 독감이 있다. '감기'는 바이러스가 코나 목에 ㉠침투하면 발생한다. 감기 바이러스에는 리노바이러스와 코로나바이러스를 포함해 200여 종류가 있다. 감기에 걸리면 기침이나 콧물, [2]발열 등의 **증상**을 보이지만 정도가 심하지 않고, 대개 일주일 이내에 좋아진다. 흔히 독한 감기라고 생각하는 '독감'은 감기와는 전혀 다른 바이러스로 인해 걸리는 완전히 다른 병이다. 독감은 인플루엔자 바이러스가 폐에 침투해 일으키는 병인데, 독감 바이러스의 종류는 많지 않기 때문에 [3]접종을 통해 예방할 수 있다.

#3문단 우리 몸은 병에 걸리지 않으려 바이러스에 대한 **면역** 체계를 가지고 있다. 우선 눈물, 콧물, 위액은 우리 몸에 바이러스가 들어오는 **경로**를 막는다. 눈물은 눈으로 들어온 이물질을 씻어 낼 뿐 아니라, 눈물에 들어 있는 라이소자임이라는 화학 물질이 해로운 미생물을 죽인다. 콧물은 코로 들어온 [4]병원체들을 끈적한 점액으로 붙잡아서 몸 밖으로 흘려 보낸다. 또 위에서 ㉡분비되는 위액은 음식물에 섞여 들어온 바이러스를 강한 산성으로 죽인다.

어휘 태그

1 기생하면서 서로 다른 종류의 생물이 함께 생활하며, 한쪽이 이익을 얻고 한쪽이 해를 입으면서.

2 발열 열이 남. 또는 열을 냄.

3 접종 병의 예방, 치료, 진단, 실험 등을 위하여 병원균이나 항체를 사람이나 동물의 몸에 넣음. 또는 그런 일.

4 병원체 병의 원인이 되는 본체. 세균, 바이러스, 기생충 등이 있다.

#4문단 우리 몸으로 들어온 바이러스와 맞서 싸울 때에는 백혈구, 특히 백혈구의 일종인 림프구가 큰 역할을 한다. 림프구는 기능에 따라 B세포, T세포, NK세포로 분류된다. 첫째로 B세포는 몸의 내부에 ⓒ침입한 **항원**, 즉 세균이나 바이러스에 [5]대항하는 **항체**를 만든다. 이 B세포는 한 번 몸에 들어온 항원을 기억해 두었다가, 다음에 같은 항원이 들어오면 처음보다 몇 배나 되는 항체를 만들어 빠르게 [6]대처한다. T세포는 킬러 T세포와 보조 T세포로 다시 나뉜다. 킬러 T세포는 감염된 세포에 직접 ②작용하여 항원을 제거한다. 한편 보조 T세포는 B세포에게 항원이 침입했음을 알려 항체를 만들라고 요청한다. 마지막으로 가장 크기가 큰 NK세포는 바이러스에 감염된 세포가 내는 신호를 ⑩감지하여 킬러 T세포와 마찬가지로 감염된 세포를 직접 공격해 없애는 역할을 한다.

#5문단 건강한 사람의 면역 체계는 바이러스의 공격을 잘 막아낼 수 있다. 하지만 우리 몸의 면역력이 떨어져 있거나, 바이러스의 수가 너무 많으면 우리 몸의 면역 체계는 제대로 작동하기 어렵다. 따라서 바이러스로부터 건강을 지키기 위해서는 손을 잘 씻고 음식은 항상 익혀 먹음으로써 바이러스의 침투를 막아야 한다. 또 충분한 휴식을 취해서 우리 몸이 [7]선천적으로 가진 면역 기능을 [8]강화해야 한다.

 # 문단별 핵심 태그

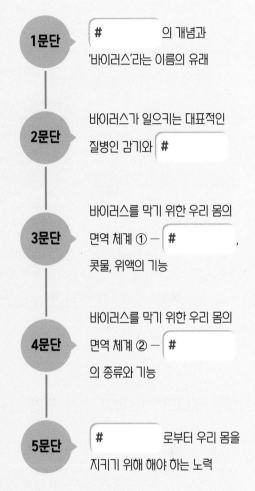

1문단 ▶ #   의 개념과 '바이러스'라는 이름의 유래

2문단 ▶ 바이러스가 일으키는 대표적인 질병인 감기와 #

3문단 ▶ 바이러스를 막기 위한 우리 몸의 면역 체계 ① ― #   , 콧물, 위액의 기능

4문단 ▶ 바이러스를 막기 위한 우리 몸의 면역 체계 ② ― # 의 종류와 기능

5문단 ▶ #   로부터 우리 몸을 지키기 위해 해야 하는 노력

어휘 태그

5 **대항하는** 굽히거나 지지 않으려고 맞서서 버티거나 저항하는.
6 **대처한다** 어떤 일이 되어가는 형편이나 사건에 대하여 알맞은 조치를 취한다.
7 **선천적** 태어날 때부터 지니고 있는 것.
8 **강화해야** 세력이나 힘을 더 강하고 튼튼하게 해야.

04 우리 몸속에 라이러스 침투

지문의 난이도는 어땠어? 상 중 하

1 바이러스의 개념과 종류

개념

생물의 세포에 **1**[ ][ ] 하면서 병을 일으키는, 세균보다도 작은 미생물

바이러스

어원

'**2**[ ]'이라는 뜻의 '비루스(virus)'에서 유래함.

종류

리노바이러스, 코로나바이러스, 인플루엔자 바이러스 등

2 바이러스를 막기 위한 우리 몸의 면역 체계

바이러스의 침입을 막는 '체액'

- 눈물: 이물질을 씻어 내고, 라이소자임으로 해로운 미생물을 죽임.
- 콧물: 병원체를 **3**[ ][ ]으로 붙잡아 몸 밖으로 흘려 보냄.
- 위액: 음식물에 섞여 들어온 바이러스를 강한 산성으로 죽임.

침입한 바이러스를 죽이는 '림프구'

- B세포: **4**[ ][ ]를 만들고, 항원을 기억했다가 빠르게 대처함.
- T세포: 감염된 세포를 직접 죽이고 (**5**[ ][ ] T세포), B세포에 항체 생성을 요청함(보조 T세포).
- NK세포: 감염된 세포가 내는 신호를 감지하여 직접 공격해 없앰.

01 이 글의 제목인 '우리 몸속 바이러스 전쟁'의 의미로 가장 적절한 것은?

① 바이러스끼리 서로 싸우는 현상을 의미한다.
② 바이러스를 연구한 의학자의 업적을 의미한다.
③ 우리 몸이 바이러스에 대항하고 있음을 의미한다.
④ 인간이 바이러스에 의해 큰 피해를 입었음을 의미한다.
⑤ 바이러스만큼이나 인간에게 고통을 주는 전쟁의 위험성을 의미한다.

02 이 글에 대한 설명으로 적절하지 않은 것은?

① 림프구의 종류를 기능에 따라 나누고 있다.
② 바이러스라는 이름의 유래를 설명하고 있다.
③ 감기와 독감에 걸렸을 때 치료 방법을 알려 주고 있다.
④ 바이러스의 침입을 막는 체액의 종류와 역할을 소개하고 있다.
⑤ 바이러스를 막기 위해 면역력을 높일 수 있는 행동을 제시하고 있다.

독해 포인트 문제

03 '바이러스'에 대한 설명으로 적절하지 않은 것은?

① 200가지 이상의 종류가 있다.
② 다른 생물의 세포에 기생한다.
③ 독이라는 라틴어에서 온 말이다.
④ 세균보다 훨씬 크기가 큰 미생물이다.
⑤ 우리 몸에 들어오면 질병을 일으킨다.

독해 포인트 문제

04 보기의 A, B에 들어갈 알맞은 말을 각각 쓰시오.

보기

　　다음은 바이러스의 침입 경로와, 체액으로 이를 막으려는 우리 몸의 대항 방법을 정리한 표이다.

침입 경로	면역 체계	
	체액	대항 방법
눈	눈물	이물질을 씻어 내고, 라이소자임이라는 화학 물질로 해로운 미생물을 죽임.
A	콧물	끈적한 점액으로 병원체를 붙잡아서 몸 밖으로 흘려보냄.
음식물	B	음식물에 섞여 들어온 바이러스를 강한 산성으로 죽임.

・A: _____

・B: _____

독해 포인트 문제

05 우리 몸의 면역을 담당하는 세포에 대한 이해로 적절하지 않은 것은?

① 림프구 중에서 가장 크기가 큰 세포는 NK세포이다.
② B세포는 한 번 몸에 들어온 항원을 기억할 수 있다.
③ 킬러 T세포는 보조 T세포에게 항체를 생성하라고 요청한다.
④ 킬러 T세포와 NK세포는 바이러스에 감염된 세포를 직접 죽인다.
⑤ NK세포는 바이러스에 감염된 세포가 보내는 신호를 감지할 수 있다.

06 ㉠~㉤을 넣어 글짓기를 할 때, 적절하지 않은 것은?

① ㉠: 벌레가 벼에 침투하여 쌀 수확량이 줄었다.
② ㉡: 독사는 위쪽 턱에서 독이 분비된다.
③ ㉢: 이웃 나라의 부대가 국경을 침입했다.
④ ㉣: 각 기업에서 신입 사원을 작용하였다.
⑤ ㉤: 그 문은 움직임을 감지하여 자동으로 열린다.

완벽 마스터 문제

07 이 글의 내용과 일치하는 것은?

① B세포는 백혈구의 한 종류이다.

> 4문단에서 [❶　　　　　]의 종류에는 B세포, T세포, NK세포가 있는데, 이 림프구는 백혈구의 일종이라고 하였다.

② 감기는 인플루엔자 바이러스에 의해 발생한다.

> 2문단에서 인플루엔자 바이러스에 의해 발생하는 것은 [❷　　　　　]이라고 하였다.

③ 휴식을 취하면 우리 몸의 면역 기능이 약해진다.

> 5문단에서 우리 몸의 선천적인 면역 기능을 강화하려면 충분한 휴식을 취해야 한다고 하였다.

④ 독감은 원인이 되는 바이러스의 종류가 많아 예방하기 어렵다.

> 2문단에서 독감 바이러스의 종류는 많지 않기 때문에 [❸　　　　　]으로 예방할 수 있다고 하였다.

⑤ 바이러스의 침투를 막기 위해서는 음식을 날것으로 먹어야 한다.

> 5문단에서 바이러스의 침투를 막기 위해서는 음식을 익혀 먹어야 한다고 하였다.

7문제 중에
_____ 문제 맞혔어!

05 한국, 다문화 사회에 들어서다

이번에 읽을 글은 다문화 사회로서 우리나라가 지향해야 할 방향을 제시하고 있어.
글을 읽기 전에 어휘를 미리 알아 두면 글을 이해하는 데 도움이 될 거야.

읽기 전 어휘 체크

- 동화
- 주류
- 이민자
- 포용
- 지향
- 정체성
- 부각하다

01 한자를 통해 뜻 추측하기

다음 한자를 보고 각 어휘의 뜻을 추측하시오.

동화	주류	이민자	포용	지향
同 한가지 동 化 되다 화	主 주요한 주 流 계층 류	移 옮기다 이 民 백성 민 者 사람 자	包 감싸다 포 容 받아들이다 용	志 뜻 지 向 향하다 향
①	②	③	④	⑤

㉠	㉡	㉢	㉣	㉤
남을 너그럽게 감싸 주거나 받아들임.	어떤 목표로 뜻이 쏠리어 향함.	성질, 모양이나 형식, 사상 등 다르던 것이 서로 같게 됨.	자기 나라를 떠나 다른 나라로 옮겨 머물러 사는 사람.	조직이나 단체에서 많은 수를 차지하는 사람의 집단을 이르는 말.

02 문장을 통해 뜻 추측하기

다음 문장에 공통으로 쓰인 '정체성'의 뜻을 추측하시오.

- 일제는 우리 민족의 **정체성**을 없애기 위해서 우리말 사용을 금지했다.
- 청소년기는 자신이 어떤 사람인지 고민하며 **정체성**을 확립하는 시기이다.
- 어떤 미술 작품을 전시하고 있는지에 따라 그 미술관의 **정체성**이 결정된다.

① 변하지 않는 존재의 본질을 깨닫는 성질.
② 정치에 관계되거나 정치의 특성을 가지는 것.
③ 사물이 발전하거나 앞으로 나아가지 못하고 한곳에 머물러 있는 특성.

03 자료를 통해 뜻 추측하기

다음을 보고 '부각하다'의 뜻을 추측하시오.

오른쪽 그림에서 어두운 배경은
빛을 받은 소녀의 모습을 더욱 **부각**한다.

① 일정한 책임이나 일을 부담하여 맡게
하다.
② 재료를 새기거나 깎아서 입체 모양을
만들다.
③ 두드러지게 나타내어 큰 관심의 대상
이 되게 하다.

▲ 요하네스 페르메이르, 「진주 귀고리를 한 소녀」

지금 배운 어휘들은 이어질 글에 **표시**해 두었어.
어휘의 뜻을 떠올리며 글을 읽어 보자.

05
한국, 다문화 사회에 들어서다

이 글을 읽기 전에 먼저
이 글의 (독해 포인트)를 확인해 보자!

독해 포인트

1 다문화 사회의 모형에는 무엇이 있는가?

2 문화 다원주의와 다문화주의는 어떤 점이 다른가?

#1문단 다문화 사회는 한 사회 안에 여러 나라의 문화가 [1]공존하는 사회이다. 즉, 하나의 국가나 사회 안에 인종·종교·언어·계급 등이 다른 사람들의 다양한 문화가 함께 존재하는 사회를 말한다. 한국 사회는 이제 전체 인구의 4퍼센트인 약 200만여 명의 외국인과 함께 살아간다는 점에서 다문화 사회라고 할 수 있다. 이러한 변화에 발맞추어 다문화 사회를 정의하는 다양한 모형에 대해 살펴보고, 한국 사회가 **지향**해야 할 방향 또한 생각해 보자.

#2문단 다문화 사회의 모형에는 [2]차별 배제 모형, **동화** 모형, 다문화 모형이 있다. 이 세 모형은 국가가 외국인과 **이민자**를 받아들이는 태도나 정책에 따라 나눈 것이다. 먼저, '차별 배제 모형'은 국가가 경제적 이익을 위해 특정 지역이나 특정 직업에서만 외국인과 이민자를 받아들이고, 그 외에서는 받아들이지 않는 [3]배타적인 모형이다. 그러나 이 모형은 경제적으로 [4]세계화가 확대되고, 결혼 이민자가 늘어나면서 점점 현실에 적용하기 어려워지고 있다. 또한, 외국인과 이민자의 반발심을 불러일으키게 되는 문제점도 있다. 다음으로 '동화 모형'은 외국인과 이민자의 문화가 **주류** 사회의 그것과 똑같아져야 한다는 모형이다. 그러나 이 모형은 외국인과 이민자의 **정체성**을 무시하고 그들이 받을 불이익을 [5]간과한다는 문제점이 있다.

(어휘 태그)

1 공존하는 두 가지 이상의 사물이나 현상이 함께 존재하는.
2 차별 둘 이상의 대상을 각각 등급, 수준 차이를 두어서 구별함.
3 배타적 남을 따돌리거나 거부하여 밀어 내치는 것.
4 세계화 정치·경제·문화 등 사회의 여러 분야에서 여러 국가 간 교류가 늘어나고 개인과 집단이 하나의 세계 안에서 살아가게 되는 현상.
5 간과한다는 큰 관심 없이 대강 보아 넘긴다는.

#3문단 마지막으로, '다문화 모형'은 다른 인종과 민족에 대해 **포용**하는 태도를 취하는 모형이다. 외국인과 이민자의 고유문화를 인정하며, 정책의 목표를 '동화'가 아닌 '공존'에 두고 있다. 이 다문화 모형은 다시 '문화 다원주의'와 '다문화주의'로 나눌 수 있다. 문화 다원주의와 다문화주의는 다양성을 인정하고 사회 통합을 [6]추구한다는 점에서는 유사하다. 그러나 ㉠문화 다원주의는 주류 문화가 존재한다는 것을 분명히 하면서 소수의 문화도 인정하는 정도의 소극적인 다문화 모형이다. 이에 비해 ㉡다문화주의는 주류 문화의 중요성을 **부각하지** 않고 모든 문화가 동등하게 인정되어야 한다고 강조하는 적극적인 다문화 모형이다.

#4문단 세계화가 가속화되면서 외국인 노동자나 결혼 이민자 등이 급속하게 증가하는 현재 상황에서 한국 사회는 세 가지 모형 중 '다문화 모형'에 초점을 둘 필요가 있다. 특히, 아직까지 [7]단일 민족 국가라는 인식이 남아 있는 한국 사회에서 외국인과 이민자에 대한 차별을 없애고 다양한 문화가 조화를 이루기 위해서는 다문화 모형 중에서도 '다문화주의'를 지향해야 한다. 그러나 무조건 다양성만 강조하고 조화를 이루지 못한다면, 오히려 혼란만 더하게 되어 사회 통합이 아닌 분열을 [8]조장할 수 있다. 따라서 장기적 목표는 다문화주의에 두되, [9]극단적인 정책을 성급하게 시행하는 대신, 적정한 수준의 다문화 정책을 단계적으로 세우고 시행해야 부작용을 최소화할 수 있을 것이다.

#문단별
핵심 태그

1문단
한 나라 안에 여러 나라의 문화가 공존하는 #
사회가 된 한국

2문단
다문화 사회의 세 가지 모형 중 차별 배제 모형과
소개

3문단
문화 다원주의와
로
나뉘는 다문화 모형 소개

4문단
사회의 현재
상황으로 보아 다문화주의를 지향해야 할 필요성

(어휘 태그)

6 **추구한다는** 목적을 이룰 때까지 뒤쫓아 구한다는.
7 **단일 민족** 한 나라의 주민이 하나의 인종으로만 구성되어 있는 민족.
8 **조장할** 바람직하지 않은 일을 더 심해지도록 부추길.
9 **극단적** 중용(지나치거나 모자라지 않고 한쪽으로 치우치지도 아니한, 떳떳하며 변함이 없는 상태나 정도)을 잃고 한쪽으로 크게 치우치는 것.

지문이 난이도는 어땠어?
하 중 상

확인하기

1 다문화 사회의 모형

차별 배제 모형
국가가 경제적 이익을 위해 특정 지역이나 특정 **1**[ ][ ]에서만 외국인과 이민자를 받아들이고, 그 외에서는 받아들이지 않는 배타적인 모형

2[ ][ ] **모형**
외국인과 이민자의 문화가 주류 사회의 문화와 똑같아져야 한다는 모형

다문화 모형
다른 인종과 **3**[ ][ ]에 대해 포용하는 태도를 취하는 모형으로, 문화 다원주의와 다문화주의로 나뉘는 모형

2 문화 다원주의와 다문화주의

문화 다원주의	다문화주의
(차이점) • **4**[ ][ ] 문화가 존재한다는 것을 분명히 함. • 소수의 문화도 인정함. • 소극적인 모형임.	• 주류 문화의 중요성을 부각하지 않음. • 모든 문화를 동등하게 인정함. • 적극적인 모형임.

(공통점)
• 외국인과 이민자의 고유문화를 인정함.
• 정책의 목표를 '동화'가 아닌 '**5**[ ][ ]'에 둠.
• 다양성을 인정하고 사회 통합을 추구함.

01 이 글에서 설명하고 있는 '다문화 사회'의 모형이 <u>아닌</u> 것은?

① 동화 모형
② 차별 배제 모형
③ 사회 통합 모형
④ 다문화주의 모형
⑤ 문화 다원주의 모형

02 글쓴이가 한국 사회를 '다문화 사회'로 보는 이유로 가장 적절한 것은?

① 한국의 문화가 전 세계적으로 알려졌기 때문에
② 한국의 경제가 선진국 수준으로 성장했기 때문에
③ 한국이 단일 민족 국가라는 인식이 남아 있기 때문에
④ 한국어 외에 여러 나라의 말을 공용어로 사용하기 때문에
⑤ 한국의 전체 인구 중에서 외국인이 차지하는 비중이 높기 때문에

03 '차별 배제 모형'에 대한 설명으로 적절하지 <u>않은</u> 것은?

① 배타적 모형으로 외국인과 이민자의 반발심을 불러일으키기도 한다.
② 국가가 외국인과 이민자를 받아들이는 것은 경제적 이익을 위해서이다.
③ 경제의 세계화와 결혼 이민의 확대로 현실에 적용하기 어려워지고 있다.
④ 외국인과 이민자의 문화가 주류 사회의 문화와 똑같아져야 한다고 본다.
⑤ 국가가 특정 직업이나 특정 지역에서만 외국인이나 이민자를 받아들인다.

독해 포인트 문제

04 ㉠과 ㉡에 대한 설명으로 적절하지 <u>않은</u> 것은?

① ㉠과 ㉡은 둘 다 외국인과 이민자의 고유문화를 인정한다.

② ㉠과 ㉡은 둘 다 사회 통합을 이루는 것을 목적으로 한다.

③ ㉠과 ㉡은 둘 다 다른 인종과 민족을 포용하는 태도를 보인다.

④ ㉠은 주류 문화의 중요성을 강조하지 않지만, ㉡은 주류 문화를 강조한다.

⑤ ㉠은 소극적인 다문화 모형으로, ㉡은 적극적인 다문화 모형으로 볼 수 있다.

05 보기 에서 글쓴이가 주장한 내용끼리 묶은 것은?

> 보기
>
> ㄱ. 외국인과 이민자를 한국의 다문화 정책에 참여시켜야 한다.
> ㄴ. 한국 사회에서 외국인과 이민자에 대한 차별을 없애야 한다.
> ㄷ. 한국 사회에 적정한 다문화 정책을 세우고 단계적으로 시행해야 한다.
> ㄹ. 한국 문화의 우수성과 중요성을 먼저 알리고, 다른 문화를 조금씩 인정해 나가야 한다.

① ㄱ, ㄴ   ② ㄱ, ㄷ   ③ ㄱ, ㄹ

④ ㄴ, ㄷ   ⑤ ㄷ, ㄹ

06 '다문화 사회'의 모형 중, 보기 와 같은 정책을 가장 지지할 모형은 무엇인지 쓰시오.

> 보기
>
> A국에 사는 외국인과 이민자는 반드시 A국의 말을 배우고, A국의 종교를 믿어야 한다.

07 보기 와 같은 방식으로 만들어진 어휘가 <u>아닌</u> 것은?

> 보기
>
> 다 (多) + 문화 (文化)
>
> '다문화'는 '여러' 또는 '많은'의 뜻을 더하는 한자어인 '다(多)'와 '문화(文化)'라는 말이 합쳐져 만들어졌다.

① 다기능
② 다달이
③ 다민족
④ 다목적
⑤ 다국적

완벽 마스터 문제

08 이 글을 통해 답을 구할 수 있는 물음이 <u>아닌</u> 것은?

① 다문화 사회란 무엇인가?

> 1문단에서 하나의 사회 안에 인종·종교·언어·계급이 다른 사람들의 문화가 공존하는 사회를 설명하고 있다.

② '다문화 모형' 정책의 목표는 무엇인가?

> 3문단에서 '동화'가 아닌 '[❶   ]'이 다문화 모형 정책의 목표라고 설명하고 있다.

③ 다문화 사회의 모형을 분류하는 기준은 무엇인가?

> 2문단에서 [❷   ]가 외국인과 이민자를 받아들이는 태도나 정책에 따라 다문화 사회의 모형을 나눈다고 하였다.

④ 다문화 관련 정책 중 현재 시행되고 있는 것들은 무엇인가?

> 4문단에서 글쓴이는 적정한 수준의 다문화 정책을 단계적으로 세워서 시행하자고만 밝히고 있다.

⑤ 우리나라는 다문화 사회의 모형 중 어떤 것을 지향해야 하는가?

> 4문단에서 글쓴이는 한국 사회가 [❸   ]를 지향해야 한다고 하였다.

8문제 중에 _____ 문제 맞혔어!

06 아동을 지키는, 유엔 아동 권리 협약

이번에 읽을 글은 아동이 인간으로서 누려야 하는 권리에 대해 설명하고 있어. 글을 읽기 전에 어휘를 미리 알아 두면 글을 이해하는 데 도움이 될 거야.

✓ 읽기 전 어휘 체크

- 만장일치
- 참여
- 협약
- 방치
- 잠재력
- 유익/유해

01 한자를 통해 뜻 추측하기

다음 한자를 보고 각 어휘의 뜻을 추측하시오.

만장일치		참여		협약		방치	
滿 가득하다	만	參 관계하다	참	協 화합하다	협	放 놓다	방
場 마당	장	與 더불다	여	約 약속	약	置 두다	치
一 하나	일						
致 이르다	치						
①		②		③		④	

ㄱ	ㄴ	ㄷ	ㄹ
내버려 둠.	어떤 일에 끼어들어 관계함.	모든 사람의 의견이 같음.	국가와 국가 사이에 문서를 교환하여 계약을 맺음. 또는 그 계약.

02 문장을 통해 뜻 추측하기

다음 문장에 공통으로 쓰인 '잠재력'의 뜻을 추측하시오.

- 자신의 잠재력을 일깨우기 위해 노력하자.
- 아이들은 무한한 잠재력을 가지고 있습니다.
- 신인 선수를 선발하는 첫 번째 기준은 그 선수의 성장 잠재력입니다.

① 목표를 향하여 밀고 나가는 힘.
② 겉으로 드러나지 않고 속에 숨어 있는 힘.
③ 목적을 이루기 위하여 몸과 마음을 다하여 애를 씀.

03 한자를 통해 뜻 추측하기

다음을 보고 빈칸에 들어갈 알맞은 말을 쓰시오.

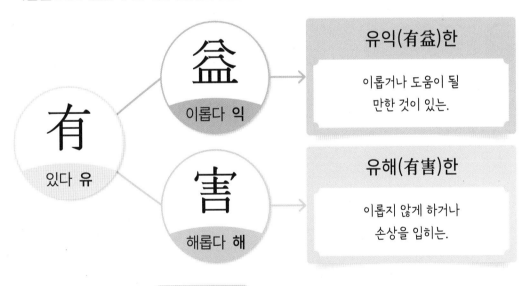

有 있다 유

益 이롭다 익

유익(有益)한
이롭거나 도움이 될 만한 것이 있는.

害 해롭다 해

유해(有害)한
이롭지 않게 하거나 손상을 입히는.

(1) 위인전을 읽으면 삶에 [   ] 지혜를 얻을 수 있다.

(2) 학생들에게 [   ] 학교 주변 환경을 개선하기로 했다.

지금 배운 어휘들은 이어질 글에 **표시**해 두었어.
어휘의 뜻을 떠올리며 글을 읽어 보자.

06
아동을 지키는, 유엔 아동 권리 협약

이 글을 읽기 전에 먼저
이 글의 독해 포인트 를 확인해 보자!

독해 포인트

1 인권이란 무엇인가?

2 유엔 아동 권리 협약의 내용은 무엇인가?

#1문단 인간은 태어나면서부터 인간답게 살 권리를 가진다. 인간으로서 당연히 가지는 기본적 권리를 인권이라고 하는데, 인권은 인종, 국적, 성별, 나이, 종교 등에 상관없이 모든 인간에게 평등하게 보장되며 모든 인간은 어떤 경우에도 차별받아서는 안 된다. 국가는 헌법에 [1]기본권을 규정함으로써 국민의 인권을 보장한다. 나라마다 헌법의 내용은 다르지만, 기본권은 [2]보편적인 인권 사상에 기초하기 때문에 기본권에 대한 내용은 비슷하다.

#2문단 아직 성인이 되지 않은 어린이와 청소년에게도 당연히 인간으로서 누릴 권리가 있다. '[3]유엔 아동 권리 **협약**'은 어린이와 18세 미만의 청소년의 인권을 보호하기 위해 유엔이 정한 협약으로, 1989년 11월 20일에 유엔 회원국들의 **만장일치**로 [4]채택되었다. 현재까지 우리나라를 포함한 전 세계 196개국이 이를 지킬 것을 약속하였다. 이 협약은 헌법에서 보장하는 기본권의 내용과 더불어 아동으로서 보장받아야 할 권리까지 포함하고 있다. 이 협약에는 아동에게 필요한 생존·보호·발달·**참여**의 네 가지 권리가 담겨 있다.

어휘 태그

1 **기본권** 인간이 태어날 때부터 가지고 있는 기본적인 권리. 자유권, 참정권, 사회권 등이 있다.
2 **보편적** 모든 것에 두루 미치거나 통하는 것.
3 **유엔(UN)** 국제 연합(United Nations). 제이 차 세계 대전 후 국제 평화와 안전 유지, 국제 우호 관계 촉진, 경제적·사회적·문화적·인도적 문제에 관한 국제 협력을 달성하기 위하여 만든 국제 평화 기구.
4 **채택되었다** 작품, 의견, 제도 등이 골라져서 다루어지거나 뽑혀 쓰이게 되었다.

#3문단 먼저 생존의 권리는 아동이 기본적인 삶을 누릴 권리이다. 아동은 안전한 곳에서 제대로 먹고 입으며 적절한 생활 수준을 유지하며 살아갈 수 있어야 하며, 기본적인 의료 서비스를 받을 수 있어야 한다. 이를 위해 국제 구호 단체에서는 [5]식수로 쓸 우물을 만들기도 하고, 기본적인 예방 [6]접종을 실시하기도 한다. 보호의 권리는 아동에게 **유해**한 모든 것으로부터 아동이 보호받을 권리를 말한다. 아동의 부모나 보호자는 아동에게 정신적 혹은 신체적 폭력을 가하거나 [7]학대해서는 안 되며, 아동을 **방치**해서도 안 된다. 국가와 사회 역시 아동을 대상으로 한 범죄로부터 아동을 보호해야 한다.

#4문단 발달의 권리는 아동이 자신의 **잠재력**을 [8]발휘하는 데 필요한 권리이다. 아동은 초등 교육을 무료로 받는 것은 물론, 아동이 자신의 능력에 맞는 더 높은 수준의 교육도 받을 수 있어야 한다. 또한 충분히 쉬거나 여가를 즐길 권리, 문화생활을 하고 **유익**한 정보를 얻을 권리도 여기에 포함된다. 참여의 권리는 아동이 자신에게 영향을 줄 수 있는 문제에 대해 자신의 의견을 말하고 그 의견을 존중받을 권리이다. 아동은 말이나 글로써 자신의 생각을 자유롭게 표현할 수 있어야 하고, 다른 사람과 의견을 주고받을 권리가 있다. 이를 위해 아동은 단체나 모임에 가입하거나 참여할 수 있는 권리를 지닌다.

#문단별 핵심 태그

1문단 # ___의 의미 — 인간으로서 당연히 가지는 기본적 권리

2문단 유엔 아동 권리 협약의 보호 대상 — # ___와 18세 미만의 청소년

3문단 유엔 아동 권리 협약 ① — # ___의 권리와 보호의 권리 설명

4문단 유엔 아동 권리 협약 ② — # ___의 권리와 참여의 권리 설명

(어휘 태그)

5 **식수** 먹을 용도의 물.
6 **접종** 병의 예방, 치료, 진단, 실험을 위하여 사람이나 동물의 몸에 병원균이나 항체를 넣는 것.
7 **학대해서는** 몹시 괴롭히거나 가혹하게 대우해서는.
8 **발휘하는** 재능이나 능력을 떨치어 나타내는.

09 아동이 알아야 하는 아동의 권리

지문의 난이도는 어땠어?

① 인권의 개념 및 특징

인간으로서 당연히 가지는 기본적 권리를 말함.

↓

- 인종, 국적, 성별, 나이, 종교 등에 상관없이 모든 인간에게 평등하게 보장됨.
- 모든 인간은 어떤 경우에도 차별받아서는 안 됨.
- 국가는 에 기본권을 규정하여 인권을 보장함.

② 유엔 아동 권리 협약에 담긴 아동의 네 가지 권리

생존의 권리	아동이 기본적인 삶을 누릴 권리

+

의 권리	아동에게 유해한 모든 것으로부터 아동이 보호받을 권리

+

발달의 권리	아동이 자신의 잠재력을 발휘하는 데 필요한 권리

+

의 권리	아동이 자신에게 영향을 줄 수 있는 문제에 대하여 자신의 의견을 말하고 그 의견을 존중받을 권리

01 '인권'에 대해 논의한 내용으로 적절하지 <u>않은</u> 것은?

① 하연 : 인간으로서 당연히 가지는 기본적인 권리야.
② 준서 : 국가는 헌법으로 국민의 인권을 보장하고 있어.
③ 세미 : 어떤 경우에도 모든 사람의 인권은 보장되어야 해.
④ 기완 : 나라마다 법으로 보장하는 인권의 범위는 차이가 커.
⑤ 서영 : 인종, 성별, 나이 등에 상관없이 모든 인간에게 평등하게 주어지는 것이야.

02 다음은 '유엔 아동 권리 협약'의 조항이다. 각 조항에 해당하는 권리의 기호를 쓰시오.

㉠ 생존의 권리	㉡ 보호의 권리
㉢ 발달의 권리	㉣ 참여의 권리

(1) [15조 모임의 자유] 우리는 모임을 자유롭게 조직할 수 있어야 하며 우리의 목적을 위해 평화로운 방법으로 모임을 열 수 있어야 합니다.
( )

(2) [24조 영양과 보건] 우리는 건강하게 자랄 권리가 있습니다. 충분한 영양을 섭취하고 깨끗한 물을 얻을 수 있어야 하며 병원이나 보건소 등에서 치료받을 수 있어야 합니다. ( )

(3) [31조 여가와 놀이] 우리는 충분히 쉬고 놀 권리가 있습니다. ( )

(4) [36조 모든 착취로부터의 보호] 정부는 우리를 나쁜 방법으로 이용해 우리의 복지를 해치는 어른들의 모든 이기적인 행동으로부터 우리를 보호해야 합니다. ( )

03 '유엔 아동 권리 협약'에 대한 설명으로 가장 적절한 것은?

① 유아와 어린이만을 대상으로 한다.
② 아동의 권리와 함께 의무도 제시되어 있다.
③ 헌법에서 보장하는 기본권과는 관련이 없다.
④ 아동의 인권을 지키기 위해 유엔이 정한 협약이다.
⑤ 우리나라는 아직 유엔 아동 권리 협약에 동의하지 않았다.

05 빈칸에 공통으로 들어갈 알맞은 말을 쓰시오.

보기

> [   ]은/는 어떤 일을 행하거나 타인에 대하여 당연히 요구할 수 있는 힘이나 자격을 말한다. 어린이와 청소년은 인간으로서 당연히 누릴 [   ]이/가 있다.

완벽 마스터 문제

06 이 글의 내용과 일치하지 않는 것은?

① 인권은 어린이가 되어야 생긴다.

> 1문단에서 모든 인간은 태어나면서부터 인간답게 살 권리를 가진다고 하였다.

② 아동에게는 교육을 받을 권리가 있다.

> 4문단에서 아동은 자신의 [❶   ]을 발휘할 수 있도록 충분한 교육을 받아야 한다고 하였다.

③ 아동이 안전한 곳에서 먹고 자는 것은 생존에 관한 일이다.

> 3문단에서 아동은 안전한 곳에서 적절한 생활 수준을 유지하며 살아갈 생존의 권리가 있다고 하였다.

④ 아동도 어른과 마찬가지로 자신의 의견을 말할 권리가 있다.

> 4문단에서 아동은 자신에게 영향을 줄 수 있는 일에 대하여 의견을 말하는 것은 물론 그 의견을 존중받아야 한다고 하였다.

⑤ 부모는 물론 정부와 사회도 유해한 것으로부터 아동을 보호할 의무가 있다.

> 3문단에서 [❷   ]와 보호자, 국가와 사회가 아동의 '보호의 권리'를 위해 해야 할 일이 나타나 있다.

04 이 글을 바탕으로 할 때, 보기를 이해한 내용으로 적절하지 않은 것은?

보기

> A는 올해 13살로, 전쟁이 끊이지 않는 시리아에서 아픈 여동생을 돌보며 살고 있다. 6살 때 전쟁으로 부모님을 모두 잃은 A는 먹을 것을 구하고 여동생을 돌보느라 학교에 갈 생각은 할 수도 없었다. 물론 여동생도 제대로 된 치료를 받지 못했다. 그런데 한 달 전 국제 구호 단체의 도움으로 A는 먹을 것을 얻고 학교에 다닐 수 있게 되었으며, 여동생도 치료를 받을 수 있게 되었다. 그러나 그것도 잠시, A는 지금 소년병으로 끌려갈 위기에 놓여 있다.

① A는 학교에 가게 됨으로써 발달의 권리를 찾게 되었군.
② A는 유엔 아동 권리 협약에 의해 인권을 보장받는 나이이군.
③ A는 시리아에서 기본적인 인권마저 보호받지 못하며 살고 있었군.
④ A의 여동생은 의료 서비스를 제대로 받지 못해 생존의 권리를 침해받고 있었군.
⑤ A의 의사와 상관없이 군대에 끌려가는 것은 A가 참여의 권리를 보장받지 못한 것이군.

43

6문제 중에
_____문제 맞혔어!

07

경제 활동의
필수품, 화폐

이번에 읽을 글은 우리가 사용하는 화폐의 기능과 변천 과정을 설명하고 있어.
글을 읽기 전에 어휘를 미리 알아 두면 글을 이해하는 데 도움이 될 거야.

**읽기 전
어휘 체크**

- 거래
- 분쟁
- 노동력
- 내재
- 축적
- 가정하다
- 변천

01 한자를 통해 뜻 추측하기

다음 한자를 보고 각 어휘의 뜻을 추측하시오.

거래	분쟁	노동력	내재	축적
去 가다 거 來 오다 래	紛 어지럽다 분 爭 다투다 쟁	勞 일하다 노 動 움직이다 동 力 힘 력	內 안, 속 내 在 있다 재	蓄 모으다 축 積 쌓다 적
①	②	③	④	⑤

ㄱ	ㄴ	ㄷ	ㄹ	ㅁ
주고받음. 또는 사고팖.	지식, 경험, 자금 따위를 모아서 쌓음. 또는 모아서 쌓은 것.	어떤 사물이나 범위의 안에 들어 있음.	말썽을 일으키어 시끄럽고 복잡하게 다툼.	생산품을 만드는 데에 쓰이는 인간의 정신적·육체적인 모든 능력.

02 문장을 통해 뜻 추측하기

다음 문장에 공통으로 쓰인 '가정하다'의 뜻을 추측하시오.

- 그 일이 실제로 일어났다고 **가정해** 봐.
- 최악의 상황을 **가정하고** 대책을 세우는 게 좋다.
- 만일 북극의 얼음이 다 녹는다고 **가정한다면** 지구는 어떻게 될까요?

① 그렇지 않다고 단정하거나 옳지 않다고 반대하다.
② 얼굴이나 몸차림 따위를 알아보지 못하게 바꾸어 꾸미다.
③ 사실이 아니거나 또는 사실인지 아닌지 분명하지 않은 것을 임시로 인정하다.

03 자료를 통해 뜻 추측하기

다음을 보고 '변천'의 뜻을 추측하시오.

태극기의 변천 과정을 살펴봅시다.

 →  →

① 한창 성하게 일어나 퍼짐.
② 세월의 흐름에 따라 바뀌고 변함.
③ 기세나 상태가 쇠하여 전보다 못하여 감.

지금 배운 어휘들은 이어질 글에 **표시**해 두었어.
어휘의 뜻을 떠올리며 글을 읽어 보자.

07
경제 활동의 필수품, 화폐

이 글을 읽기 전에 먼저
이 글의 독해 포인트 를 확인해 보자!

독해 포인트

 화폐의 기능은 무엇인가?

 화폐는 어떻게 발전해 왔는가?

#1문단 우리는 상품을 사고팔 때 화폐를 사용한다. 화폐란 지폐나 동전, [1]수표, 신용 카드 등을 가리킨다. 우리는 화폐를 사용해서 [2]재화와 서비스 등의 생산물뿐만 아니라 **노동력**이나 토지 등과 같은 생산 요소까지 **거래**할 수 있다. 경제 활동의 주요 수단인, 화폐는 어떤 기능을 하며, 어떤 과정을 거쳐 발전했는지 화폐의 기능과 **변천** 과정을 살펴보자.

#2문단 첫째, 화폐는 교환 [3]매개의 기능을 한다. 옥수수를 가진 사람이 사과가 필요하다고 **가정해** 보자. 이 사람이, 사과를 가지고 있고 옥수수가 필요한 사람을 만난다면 두 사람은 각자가 원하는 것을 바꾸면 된다. 그러나 현실적으로 서로에게 꼭 필요한 물건을 가진 사람을 찾기란 쉽지 않다. 이럴 때 화폐가 있다면 상대를 찾을 필요 없이 옥수수를 판 돈으로 사과를 사면 된다. 이처럼 실제 상품을 사고팔지 않아도 화폐를 매개로 거래함으로써 시간과 노력을 줄일 수 있다.

#3문단 둘째, 화폐는 가치 [4]척도의 기능을 한다. 옥수수를 가진 사람과 사과를 가진 사람이 만났다고 하자. 그런데 옥수수를 가진 사람은 옥수수 한 개와 사과 한 개를 교환하길 원하고, 사과를 가진 사람은 사과 한 개와 옥수수 두 개를 교환하길 원한다. 이처럼 서로가 교환하기를 원하는 대상의 가치가 다를 때 화폐가 있다면 각 상품의 가치를, 화폐로 나타낸 가격을 보고 알 수 있어 거래에서 발생하는 **분쟁**을 줄일 수 있다.

어휘 태그

1 수표 은행에 예금을 가진 사람이 수표를 가지고 있는 사람에게 수표에 적힌 금액을 은행에서 주게끔 하는 증서.

2 재화 사람이 바라는 바를 충족시켜 주는 모든 물건.

3 매개 둘 사이에서 양편의 관계를 맺어 줌.

4 척도 평가하거나 측정할 때 근거를 둘 기준.

#4문단 셋째, 화폐는 가치 [5]저장의 기능을 한다. 이번에는 사과 나무를 가진 사람이 자신이 가을에 거둔 사과를 내년 봄까지 저장해야 한다고 가정해 보자. 사과를 수 개월 동안 창고에 저장한다면 사과의 가치가 ㉠훼손될 가능성이 높다. 하지만 수확한 사과를 팔아 화폐로 가지고 있다면 생산물의 가치를 떨어뜨리지 않고 훨씬 쉽게 저장할 수 있다. 이와 같이 화폐는 상품의 가치를 더욱 쉽게 유지하고 **축적**하게 해 준다.

#5문단 화폐는 지금까지 다양한 모습으로 발전해 왔다. 초기의 화폐는 상품 화폐로, 쌀, 소금, 가죽과 같이 물건 자체에 가치가 **내재**된 상품을 화폐로 사용하였다. 그러나 물건은 [6]휴대와 보관이 어렵기 때문에 금속으로 만든 금화나 은화 같은 금속 화폐가 등장하였다. 하지만 금속 화폐 역시 큰 금액은 휴대하기가 불편하였고, 화폐를 만드는 데 비용이 많이 든다는 문제가 있었다. 이 문제를 해결하기 위해 가볍고 제작비가 싼 종이 화폐가 등장하였다. 종이 화폐, 즉 지폐는 종이에 인쇄를 하여 일정한 금액의 가치를 지니게 한 것으로, 동전과 함께 지금까지도 널리 쓰이고 있다. 현대에 이르러 수표나 신용 카드와 같이, 기존 화폐의 기능을 대신하는 [7]증서인 신용 화폐가 등장하였다. 신용 화폐는 상품의 [8]대가를 바로 지급하는 것이 아니라 지정한 날짜에 [9]지불할 수도 있고, 휴대하기도 쉽다. 최근에는 스마트폰과 같은 디지털 기기를 통해서도 신용 화폐를 사용할 수 있게 되어 점점 더 널리 쓰이고 있다.

#문단별
핵심 태그

1문단 화폐의 소개 —
활동의 주요
수단인 화폐

2문단 화폐의 기능 ① — 화폐를
매개로 상품을 거래할 수 있는
의 기능

3문단 화폐의 기능 ② — 상품의
가치를 가격으로 알려 주는
의 기능

4문단 화폐의 기능 ③ — 상품의
가치를 유지하고 축적하게 하는
의 기능

5문단 #   의 변천 과정 —
상품 화폐, 금속 화폐, 종이 화폐,
신용 화폐로의 발전 과정

어휘 태그

5 저장 물건이나 재화를 모아서 잘 보호하거나 보관함.
6 휴대 손에 들거나 몸에 지니고 다님.
7 증서 권리나 의무, 사실 등을 증명하는 문서.
8 대가 물건의 값으로 치르는 돈.
9 지불할 돈을 내어 줄. 또는 값을 치를.

지문의 난이도는 어땠어?
상 중 하

1 화폐의 기능

교환 매개의 기능

실제 상품을 사고팔지 않아도 화폐를 **1** [   ][   ]로 거래할 수 있음.

가치 척도의 기능

상품의 **2** [   ][   ]를 화폐로 나타낸 가격을 보고 알 수 있음.

가치 저장의 기능

상품의 가치를 더욱 쉽게 유지하고 축적할 수 있음.

2 화폐의 변천 과정

| 상품 화폐 | 물건 자체에 가치가 내재된 상품으로, 휴대와 보관이 어려움. 예 쌀, 소금, 가죽 |

↓

| **3** [   ][   ] 화폐 | 금속으로 만든 화폐로, 휴대가 어렵고 만드는 데 비용이 많이 듦. 예 금화, 은화 |

↓

| 종이 화폐 | 일정한 금액의 가치를 지닌 종이로, 지금까지도 널리 쓰임. 예 지폐 |

↓

| **4** [   ][   ] 화폐 | 화폐의 기능을 대신하는 증서로, 휴대와 사용이 쉬움. 예 수표, 신용 카드 |

---

01 보기 에서 설명하고 있는 '화폐'의 종류를 쓰시오.

> 보기
>
> 옛날에는 물건 그 자체에 가치가 있을 경우, 교환의 매개로 인정되어 화폐로 사용되기도 하였다. 이렇게 교환 수단으로 사용된 물건에는 곡식, 옷감, 소금, 짐승의 가죽, 가축 등이 있었는데 이것들은 당시에 구하기 어려워 귀하게 여겨졌던 것이었다.

독해 포인트 문제

02 보기 에서 '화폐'의 기능으로 적절한 것을 모두 고른 것은?

> 보기
>
> ㄱ. 상품의 가치를 측정할 수 있다.
> ㄴ. 물건의 가치를 대신 저장할 수 있다.
> ㄷ. 어떤 상품의 가격을 항상 일정하게 유지할 수 있다.
> ㄹ. 다른 물건과 교환하는 매개 수단으로 사용할 수 있다.

① ㄱ, ㄴ
② ㄴ, ㄷ
③ ㄴ, ㄹ
④ ㄱ, ㄴ, ㄹ
⑤ ㄴ, ㄷ, ㄹ

---

03 다음 중 이 글에 제시된 '화폐'의 예가 <u>아닌</u> 것은?

① 동전
② 토지
③ 수표
④ 지폐
⑤ 신용 카드

독해 포인트 문제

04 '화폐'의 종류에 대한 설명으로 적절하지 <u>않은</u> 것은?

① '상품 화폐'는 직접 들고 다니기에는 불편한 점이 있다.

② '종이 화폐'는 휴대가 편리해 지금까지도 널리 쓰이고 있다.

③ '종이 화폐'는 화폐가 지닌 가치만큼의 금액이 종이에 인쇄되어 있다.

④ '금속 화폐'는 다른 화폐에 비해 만드는 데 비용이 많이 들어간다.

⑤ '신용 화폐'는 상품에 대한 대가를 그 자리에서 지불해야 한다.

05 이 글로 보아 보기 에 대해 이해한 내용으로 적절하지 <u>않은</u> 것은?

> 보기
>
> A는 수박을 키우는 사람이고, B는 참외를 키우는 사람이다. 시장에서 두 사람이 만났고, B가 A에게 참외 두 개와 수박 한 개를 교환하자고 제안했다. 그렇지만 A는 참외 다섯 개와 수박 한 개를 교환하고 싶어 한다.

① <보기>에서 수박과 참외는 상품 화폐이다.

② A와 B가 지금의 제안을 고집한다면 분쟁이 일어날 수 있다.

③ B는 A가 생각하는 것보다 참외의 가치를 높게 평가하고 있다.

④ 화폐를 사용하면 A와 B가 만나지 않아도 필요한 물건을 구할 수 있다.

⑤ 화폐를 사용하면 A와 B가 각자 생각하는 상품의 가치를 분명히 알 수 있다.

06 ㉠과 바꾸어 쓸 말로 가장 적절한 것은?

① 생겨날
② 깨뜨릴
③ 낮아질
④ 되돌아올
⑤ 변하지 않을

완벽 마스터 문제

07 이 글을 읽고 알 수 있는 내용이 <u>아닌</u> 것은?

① 오늘날 화폐의 형태는 하나로 통일되었다.

> 1문단과 5문단으로 보아 오늘날에는 금속 화폐, 종이 화폐, 신용 화폐가 두루 쓰이고 있음을 알 수 있다.

② 화폐를 사용하면서 신속한 거래가 가능해졌다.

> 2문단에서 화폐가 교환을 매개함으로써 거래에 드는 [❶   ]과 노력을 줄일 수 있다고 하였다.

③ 화폐로 눈에 보이지 않는 생산 요소도 거래가 가능해졌다.

> 1문단에서 노동력과 [❷   ]같은, 눈에 보이지 않는 생산 요소도 화폐로 거래할 수 있다고 하였다.

④ 물물 교환을 위해서는 많은 시간과 노력을 들여야 하였다.

> 2문단의 예를 통해 현실적으로 필요한 물건을 교환하는 일은 힘들다는 것을 알 수 있다.

⑤ 화폐는 점점 휴대와 보관이 편리한 방향으로 발전해 왔다.

> 5문단에서 화폐의 발전 과정을 살펴보면 물건 그 자체에서 금속으로, 다시 종이와 카드로 발전해 오면서 사용이 편리해졌음을 알 수 있다.

49

7문제 중에

_____문제 맞혔어!

08 고통을 전이하는 관습

이번에 읽을 글은 세계의 여러 부족이 고통을 극복하는 방법을 알려 주고 있어.
글을 읽기 전에 어휘를 미리 알아 두면 글을 이해하는 데 도움이 될 거야.

✓ 읽기 전
어휘 체크

○ 관습

○ 부족

○ 평안

○ 토착민

○ 초월

○ 사고방식

○ 전이

01 한자를 통해 뜻 추측하기

다음 한자를 보고 각 어휘의 뜻을 추측하시오.

관습	부족	평안	토착민	초월
慣 익숙하다 **관** 習 풍습 **습**	部 집단 **부** 族 겨레 **족**	平 무사하다 **평** 安 편안하다 **안**	土 땅 　**토** 着 붙다 **착** 民 백성 **민**	超 뛰어넘다 **초** 越 넘다 **월**
①	②	③	④	⑤

ㄱ	ㄴ	ㄷ	ㄹ	ㅁ
어떠한 한계나 표준을 뛰어넘음.	대대로 그 땅에서 살고 있는 백성.	걱정이나 탈이 없음. 또는 무사히 잘 있음.	어떤 사회에서 오랫동안 지켜 내려와 구성원들이 인정하는 질서나 풍습.	원시 사회에서 같은 조상, 언어, 종교 등을 가진 지역 생활 공동체.

02 문장을 통해 뜻 추측하기

다음 문장에 공통으로 쓰인 '사고방식'의 뜻을 추측하시오.

> - 둘은 쌍둥이이지만 **사고방식**은 전혀 다르다.
> - 긍정적인 **사고방식**을 가진 사람은 시련이 닥쳐와도 잘 극복할 수 있다.
> - 여자는 소극적이고 수동적이어야 한다는 낡은 **사고방식**은 버려야 한다.

① 새로운 것을 생각해 내는 능력.
② 공정하지 못하고 한쪽으로 치우친 생각.
③ 어떤 문제에 대하여 생각하고 궁리하는 방법이나 태도.

03 자료를 통해 뜻 추측하기

다음을 보고 '전이'의 뜻을 추측하시오.

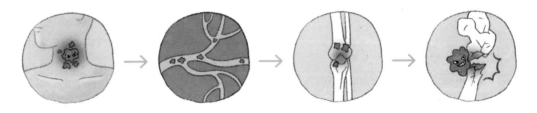

암세포가 혈관을 통해 뼈로 전이되면 작은 충격에도 뼈가 쉽게 부러질 수 있다.

① 사라져 없어짐.
② 자리나 위치 따위를 다른 곳으로 옮김.
③ 어떤 범위나 대열에서 떨어져 나오거나 떨어져 나감.

지금 배운 어휘들은 이어질 글에 **표시**해 두었어.
어휘의 뜻을 떠올리며 글을 읽어 보자.

08
고통을 전이하는 관습

이 글을 읽기 전에 먼저
이 글의 독해 포인트 를 확인해 보자!

독해 포인트

1 고통을 전이하는 관습의
유형에는 어떤 것이 있는가?

2 고통을 전이하는 관습을
연구하는 의의는 무엇인가?

#1문단 아직 ¹문명화가 이뤄지지 않은 **부족**에게는 고통이 닥쳤을 때 그것을 다른 대상에 **전이**하여 **평안**을 얻으려는 **관습**이 있다. 이러한 관습을 연구해 보면 세계의 곳곳에 걸쳐 보편적으로 나타나는 것을 알 수 있는데, 고통을 전이하는 대상에 따라 다음과 같이 몇 가지 유형으로 나누어 볼 수 있다.

#2문단 첫째, 다른 사람에게 전이하는 경우이다. 다른 사람에게 직접 고통을 전이하는 예로 ㉠스리랑카 실론 섬의 한 부족을 들 수 있다. 이 부족은 큰 병에 걸린 사람의 목숨이 ⓐ위태로울 경우에 '악마 춤'을 추는 사람을 부른다. 독특한 가면을 쓴 춤꾼은 춤을 추어 아픈 사람에게서 ²병마를 ⓑ꾀어내 자기에게로 끌어들인다. 병마를 꾀어낸 춤꾼은 ³상여 위에 누운 채 마을 밖의 들로 옮겨진다. 그렇게 하면 본래 병에 걸린 사람이 낫는다고 생각했다. 매개체를 통해 다른 사람에게 고통을 전이하는 경우도 있다. ㉡우간다의 바히마족은 악성 ⁴종기로 고통스러울 때 약초를 종기에 문질러 사람이 잘 다니는 길에 묻어 놓는다. 이때 종기가 묻은 약초는 고통을 전이하는 매개체가 되며, 약초를 맨 처음 밟은 사람이 종기를 가져간다고 생각했다.

#3문단 둘째, 동물에게 전이하는 경우이다. 남부 아프리카의 카피르족은 아픈 사람의 머리맡에 산양을 데려와 그 산양의 머리에 아픈 사람의 피를 몇 방울 떨어뜨린 후 사람이 없는 초원으로 쫓아버린다. 그렇게 하면 병이 산양에게 옮겨져 사라진다고 생각했다. 이와 비슷하게 마다가스카르의 **토착민**들도 질병을 염소에 실어 내보내며 염소가 병을 멀리 운반하여 질병이 사라지기를 바랐다고 한다.

어휘 태그

1 **문명화** 사회의 물질적, 기술적, 사회 조직적 발전 상태가 높은 수준이 됨.
2 **병마** '병'을 악마에 비유하여 이르는 말.
3 **상여** 사람의 시체를 실어서 묘지까지 나르는 도구.
4 **종기** 살갗의 한 부분이 곪아 고름이 생긴 상처.

#4문단 셋째, 사물에 전이하는 경우이다. 말레이 ⁵제도의 어떤 부족은 병을 치료하기 위해 아픈 사람의 얼굴을 ⓒ특정한 나뭇잎으로 두드린 뒤 그것을 버림으로써 병을 치료할 수 있다고 믿는다. 인도네시아 바바르의 여러 섬에 사는 부족도 몸의 피로를 없애기 위해서 피곤한 자신의 몸을 돌로 두드린다고 한다. 이 때 몸을 두드린 돌은 정해진 장소에 버리는데 그 돌이 쌓여 돌무더기가 만들어지기도 했다.

#5문단 인간 사회가 문명화될수록 이러한 관습은 ⓓ약화되거나 사라진다. 그러나 몇몇의 관습은 문명화가 이뤄진 사회에서도 민간 ⁶속설이라는 이름으로 현재까지 전해오기도 한다. 앞서 소개한 것과 같은 문명화가 이뤄지지 않은 부족의 관습을 연구하면 우리가 민간 속설이라고 부르는 관습의 ⁷기원을 짐작할 수 있다. 또한 지역적으로 ⓔ인접하지 않은 곳에서 비슷한 관습이 발견된다는 사실도 알 수 있다. 이를 통해 고통을 전이하는 관습이 민족이나 문화를 **초월**해서 인류가 공통적으로 가지고 있는 **사고방식**임을 추측할 수 있다.

#문단별
핵심 태그

1문단 ┤ # 　　　가 이뤄지지 않은 부족에게서 발견할 수 있는 고통을 전이하는 관습

2문단 ┤ 고통을 전이하는 관습의 유형 ①
― 다른 # 　　　에게 전이하는 경우

3문단 ┤ 고통을 전이하는 관습의 유형 ②
― # 　　　에게 전이하는 경우

4문단 ┤ 고통을 전이하는 관습의 유형 ③
― # 　　　에 전이하는 경우

5문단 ┤ 인류의 공통적인 사고방식이라고 추측할 수 있는 # 　　　을 전이하는 관습

(어휘 태그)

5 제도 서로 가까이에 위치하여 정치·경제적으로 관련되어 있는 여러 섬.
6 속설 사람들 사이에 전해 내려오는 이론이나 의견.
7 기원 사물이 처음으로 생김. 또는 그런 근원.

① 고통을 전이하는 관습의 유형

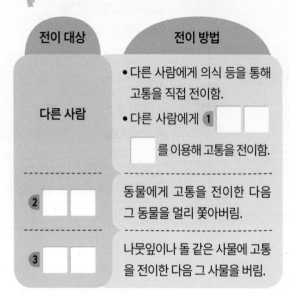

전이 대상	전이 방법
다른 사람	• 다른 사람에게 의식 등을 통해 고통을 직접 전이함. • 다른 사람에게 **1** ☐☐☐ 를 이용해 고통을 전이함.
2 ☐☐	동물에게 고통을 전이한 다음 그 동물을 멀리 쫓아버림.
3 ☐☐	나뭇잎이나 돌 같은 사물에 고통을 전이한 다음 그 사물을 버림.

② 고통을 전이하는 관습을 연구하는 의의

문명화가 이뤄지지 않은 부족의 사례 연구

- 문명화가 이뤄진 사회의 민간 **4** ☐☐ 의 기원을 짐작할 수 있음.
- 고통을 전이하는 관습이 인류 공통의 사고방식임을 추측할 수 있음.

01 이 글에서 '고통을 전이하는 관습'의 유형을 나눈 기준으로 적절한 것은?

① 고통을 전이하는 대상
② 고통을 전이하여 얻는 효과
③ 인간이 느끼는 고통의 정도
④ 전이하고자 하는 고통의 종류
⑤ 관습을 가진 부족이 거주하는 지역

02 이 글로 보아 문명화되지 않은 부족에서 '고통을 전이하는 관습'이 나타나는 이유로 가장 적절한 것은?

① 병이나 피로를 낫게 하기 위해서
② 농사가 잘되기를 기원하기 위해서
③ 잘못한 사람에게 벌을 내리기 위해서
④ 미운 사람에게 몰래 고통을 주기 위해서
⑤ 나쁜 운은 버리고 좋은 운만 생기게 하기 위해서

03 ㉠과 ㉡에 대한 설명으로 적절하지 않은 것은?

① ㉠과 ㉡은 모두 고통을 다른 사람에게 전이한다.
② ㉠과 ㉡은 모두 고통을 전이 받은 대상을 마을 밖으로 멀리 옮긴다.
③ ㉠은 큰 병으로 목숨이 위태로울 때, ㉡은 악성 종기가 생겼을 때 고통을 전이한다.
④ ㉠은 전이 대상에게 직접 고통을 전이하지만, ㉡은 매개체를 통해서 고통을 전이한다.
⑤ ㉠은 전이 대상이 스스로 고통을 옮겨 받지만, ㉡은 전이 대상이 원치 않아도 고통이 전이된다.

독해 포인트 문제

04 보기의 대화에서 '삼촌'의 대답으로 가장 적절한 것은?

보기

아영 : 삼촌은 세계 여러 나라의 문화를 연구하는 학자이시죠. 이 글처럼 아직 문명화가 이뤄지지 않은 부족의 고통을 전이하는 관습을 연구하심으로써 얻는 것은 무엇인가요?

삼촌 : _____

① 원시 부족이 빠르게 문명화되는 것을 돕지.
② 세계의 고통을 전이하는 여러 방법을 소개하지.
③ 사람들이 더 이상 민간 속설을 믿지 않게 해 주지.
④ 민족이나 문화에 따라 관습이 확실하게 구별된다는 것을 증명하지.
⑤ 지금까지 전해지는 민간 속설들이 어디에서 비롯되었는지를 밝히지.

05 이 글을 바탕으로 보기에 대해 설명한 내용으로 적절하지 않은 것은?

보기

한국에는 다래끼가 났을 때 속눈썹을 뽑아서 사람들이 다니는 길의 돌 위에 올려 둬. 그렇게 하면 그 돌을 발로 찬 사람에게 자신의 다래끼가 옮겨 간다는 민간 속설이 있어.

① 전이하려고 하는 고통은 다래끼이다.
② 고통을 전이하고자 하는 대상은 돌이다.
③ 고통을 전이하여 평안을 얻으려는 민간 속설이다.
④ 한국에도 고통을 전이하는 관습이 있음을 보여 준다.
⑤ 우간다의 바히마족이 악성 종기를 없애려는 방법과 같은 유형이다.

06 ⓐ~ⓔ를 잘못 바꾸어 쓴 것은?

① ⓐ 위태로울 → 위험할
② ⓑ 꾀어내 → 나오게 하여
③ ⓒ 특정한 → 특별히 정해진
④ ⓓ 약화되거나 → 힘이 약해지거나
⑤ ⓔ 인접하지 않은 → 매우 가까이 있는

완벽 마스터 문제

07 이 글의 내용과 일치하지 않는 것은?

① 카피르족은 산양에게 고통을 전이한다.

3문단에서 카피르족은 환자의 [❶   ]를 산양의 머리에 떨어뜨려 병을 산양에게 옮긴다고 하였다.

② 마다가스카르의 토착민은 염소에게 질병을 전이한 뒤 멀리 보낸다.

3문단에서 마다가스카르 토착민은 염소에게 질병을 실어 멀리 보낸다고 하였다.

③ 스리랑카에서는 춤꾼이 춤을 추어 환자의 병을 자신에게로 옮긴다.

2문단에서 스리랑카 실론 섬의 한 부족은 환자의 병을 [❷   ]을 추는 춤꾼에게 옮긴다고 하였다.

④ 말레이 제도의 어떤 부족은 환자의 병을 특정 나뭇잎에 전이한 뒤 그것을 버린다.

4문단에서 말레이 제도의 부족은 환자의 병을 특정한 [❸   ]에 전이한 뒤 그것을 버린다고 하였다.

⑤ 인도네시아 바바르의 섬에서는 돌을 매개체로 하여 자신의 피로를 다른 사람에게 전이한다.

4문단에서 인도네시아 바바르의 섬에서는 몸의 피로를 전이하기 위해 돌로 자신의 몸을 두드린다고만 하였다.

7문제 중에
_____ 문제 맞혔어!

09

일상생활 속 RFID 기술

이번에 읽을 글은 RFID 기술의 특징과 RFID 기술이 사용된 사례를 설명하고 있어.
글을 읽기 전에 어휘를 미리 알아 두면 글을 이해하는 데 도움이 될 거야.

읽기 전 어휘 체크

- 개폐
- 부착
- 무선
- 수신
- 전파
- 바코드
- 입고/출고

01   한자를 통해 뜻 추측하기

다음 한자를 보고 각 어휘의 뜻을 추측하시오.

개폐		부착		무선		수신	
開 열다	개	附 붙다	부	無 없다	무	受 받다	수
閉 닫다	폐	着 붙다	착	線 줄, 선	선	信 믿다, 정보	신
①		②		③		④	

㉠	㉡	㉢	㉣
열고 닫음.	전선을 사용하지 않고 전파를 이용하여 통신을 주고받는 방식.	떨어지지 않게 붙음. 또는 그렇게 붙이거나 닮.	전기 통신, 전화, 라디오, 텔레비전 방송의 신호를 받음.

02 사전에서 뜻 찾기

다음 정보 통신 기술 사전을 참고하여 빈칸에 들어갈 알맞은 어휘를 찾아 쓰시오.

정보 통신 기술 사전

- **전파**: 진동 전류에 의해 에너지가 공간으로 퍼져 나가는 현상.
- **바코드(bar code)**: 상품의 포장이나 꼬리표에 표시된 검고 흰 줄무늬.

(1) 올림픽 소식이 텔레비전 [   ]를 타고 전 세계로 전해졌다.

(2) 마트에서는 계산원이 상품의 [   ]를 찍으면 상품의 가격이 나온다.

03 자료를 통해 뜻 추측하기

다음을 참고할 때, '입고'와 '출고'의 의미로 알맞은 것에 ✓표를 하시오.

사고를 예방하기 위해
입고와 출고 방향을 지켜 주세요.

입고 ↗   ↘ 출고

입고		출고	
㉠ 물건을 창고에 넣음.	☐	㉠ 창고에서 물품을 꺼냄.	☐
㉡ 돈을 들여놓거나 넣어 줌.	☐	㉡ 돈을 내어 쓰거나 내어 줌.	☐

지금 배운 어휘들은 이어질 글에 **표시**해 두었어.
어휘의 뜻을 떠올리며 글을 읽어 보자.

09
일상생활 속 RFID 기술

이 글을 읽기 전에 먼저
이 글의 독해 포인트 를 확인해 보자!

독해 포인트

1 RFID 기술의 장점은 무엇인가?

2 RFID 기술은 어디에 쓰이고 있는가?

#1문단 우리는 사람들이 교통카드를 리더기에 가져다 대면서 버스나 지하철을 타는 광경을 흔히 본다. 교통카드를 리더기에 꽂거나 긁지 않고 그저 가까이 대기만 하면 '삑' 하는 소리와 함께 요금이 결제되면서 요금 정보나 [1]잔액이 표시된다. 이제는 카드 대신 스마트폰을 대는 모습도 심심찮게 볼 수 있다. 여기에는 어떤 기술이 적용된 것일까? 그것은 바로 '무선 주파수 인식'이라고 불리는 'RFID(아르에프아이디. Radio Frequency IDentification)' 기술이다. RFID는 직접적인 접촉 없이 **전파**를 이용해 정보를 전달하는 것을 말한다.

#2문단 RFID는 정보를 저장하고 있는 태그, 정보를 인식하는 리더기, 정보를 처리하는 컴퓨터 등의 장치로 실현된다. 태그는 리더기에서 전파의 형태로 **무선** 신호를 보내오면, 그에 반응해 태그 내부에 저장되어 있는 정보를 리더기로 보내는 역할을 담당한다. 태그에는 반도체를 이용해서 만든 ㉠초소형 전자칩이 있는데, 이 전자칩이 이러한 기능을 수행한다. 리더기는 태그로부터 받은 정보를 [2]해독하여 컴퓨터로 보내는 역할을 한다. 그러면 컴퓨터는 자신의 [3]데이터베이스에서 그 정보에 해당하는 자료를 찾아내고, 요금 결제, 출입문 **개폐** 등의 작업이 수행되도록 명령한다.

▲ RFID 원리

어휘 태그

1 **잔액** 나머지 돈.
2 **해독하여** 잘 알 수 없는 암호나 기호를 읽어서 풀어.
3 **데이터베이스(database)** 여러 가지 업무에 공동으로 필요한 데이터(정보)를 서로 밀접하게 결합하여 저장한 집합체.

#3문단 RFID의 기능은 **바코드**와 비슷하지만, 빛을 이용하는 바코드와 달리 RFID는 전파를 이용한다. 이 차이로 RFID 리더기는 바코드 리더기보다 훨씬 먼 거리에서도 태그의 정보를 인식할 수 있다. 또 RFID 리더기는 태그와 리더기 사이에 물체가 있더라도 이를 통과하여 정보를 **수신**할 수 있고, 하나의 리더기가 동시에 여러 개의 태그를 인식할 수도 있다. 이는 바코드 리더기로는 불가능한 일이다.

#4문단 우리가 흔히 사용하는 요금 결제 외에 RFID 기술이 쓰이는 곳은 어디일까? 학생증에 들어 있는 개인 정보를 리더기가 읽으면 문이 열리는 출입 시스템, 제품에 **부착**된 태그에 결제 완료 정보가 입력되지 않으면 경보가 울리는 도난 방지 시스템, 제품의 태그마다 고유 [4]식별 번호를 부여하여 제품의 **입고**와 **출고**를 효율적으로 관리하는 [5]물류 관리 시스템, 차가 고속 도로 요금소를 지나가면 통행료가 자동으로 결제되는 하이패스 시스템은 모두 RFID 기술을 이용한 것이다.

#5문단 앞서 설명한 RFID 외에도 무선 통신 기술의 종류에는 'NFC(엔에프시. Near Field Communication)'와 'MST(엠에스티. Magnetic Secure Transmission)'가 있다. NFC는 하나의 기기가 상황에 따라 태그와 리더기의 역할을 모두 할 수 있다. 그러나 수신 범위가 10 cm 정도로 매우 짧고, NFC를 인식할 수 있는 리더기가 따로 필요하다는 한계가 있다. 한편 MST는 스마트폰으로 기존의 마그네틱 카드처럼 자기장을 일으켜 정보를 전달하는 기술이다. 따라서 별도의 리더기 없이 기존 마그네틱 카드 리더기에서 사용할 수 있다. 하지만 보안이 [6]취약하다는 단점이 있다.

#문단별
핵심 태그

1문단 # ____를 이용해 정보를 전달하는 무선 주파수 인식 기술, RFID

2문단 RFID를 구성하는 장치인 # ____, 리더기, 컴퓨터와 각각의 역할

3문단 빛을 이용하는 # ____와 달리 전파를 이용하는 RFID의 장점

4문단 일상생활에서 널리 쓰이는 # ____ 기술

5문단 무선 통신 기술인 NFC 기술과 # ____ 기술의 장점과 단점

(어휘 태그)

4 식별 서로 다른 일이나 사물을 구별하여 알아봄.

5 물류 개별 기업이 행하는 상품의 포장, 하역(짐을 싣고 내리는 일), 수송, 보관, 통신 등의 여러 활동을 이르는 말.

6 취약하다는 단단하지 않아 약하다는.

확인하기

1 RFID 기술의 개념과 장점

개념
직접 접촉하지 않고 **1**[　][　]를 이용해 정보를 전달하는 기술

장점
- RFID 리더기는 먼 거리에서도 태그의 정보를 인식함.
- RFID 리더기는 **2**[　][　]와 리더기 사이에 물체가 있어도 정보를 수신함.
- 하나의 RFID 리더기는 여러 개의 태그를 동시에 인식할 수 있음.

2 RFID 기술의 활용 사례

요금 결제 시스템
교통카드나 휴대폰을 리더기에 가까이 대면 요금이 결제됨.

3[　][　] **시스템**
학생증에 있는 개인 정보를 리더기가 읽으면 문이 열림.

도난 방지 시스템
제품 태그에 결제 완료 정보가 입력되지 않으면 도난 경보가 울림.

4[　][　] **관리 시스템**
제품 태그마다 고유 식별 번호를 부여하여 입고와 출고를 관리함.

하이패스 시스템
차로 고속 도로 요금소를 통과하면 자동으로 요금이 결제됨.

기술

---

01 이 글의 제목과 부제로 가장 적절한 것은?

① 무선 주파수 인식 기술의 미래
　— 앞으로의 전망을 중심으로
② 무선 주파수 인식 기술의 원리
　— 특징과 활용 사례를 중심으로
③ 무선 주파수 인식 기술의 명암
　— 문제점과 해결 방법을 중심으로
④ NFC 기술과 MST 기술의 비교
　— 각 기술의 활용 사례를 중심으로
⑤ RFID 기술을 통해 본 정보 산업의 현실
　— RFID 기술에 대한 통계 자료를 중심으로

02 보기 에 해당하는 무선 통신 기술을 이 글에서 찾아 알파벳 약자로 쓰시오.

보기
- 기존의 마그네틱 리더기를 활용할 수 있음.
- 보안에 취약하다는 단점이 있음.

독해 포인트 문제

03 다음 질문에 대한 답으로 적절하지 않은 것은?

RFID의 특징	예	아니요
① 정보 전달에 빛을 이용하는가?		✔
② 직접적인 접촉 없이 정보 전달이 가능한가?	✔	
③ 태그와 리더기 사이에 물체가 있어도 정보가 수신되는가?	✔	
④ 리더기 없이 태그에서 컴퓨터로 정보를 보낼 수 있는가?	✔	
⑤ 한 리더기로 여러 개의 태그를 동시에 인식할 수 있는가?	✔	

04 다음은 'RFID 기술'의 정보 처리 과정을 정리한 것이다. A~E에 대한 설명으로 적절하지 <u>않은</u> 것은?

① A에는 반도체를 이용해서 만든 전자칩이 들어 있다.
② B는 태그가 작동하도록 전파의 형태로 무선 신호를 보내는 경로이다.
③ C는 카드에 저장되어 있는 정보가 이동하는 경로이다.
④ D는 A로부터 받은 정보를 분류한 후, 그 정보를 저장해 보관한다.
⑤ E는 D로부터 받은 정보에 해당하는 자료를 찾아 교통 요금이 지불되도록 한다.

독해 포인트 문제

05 'RFID 기술'을 활용한 사례로 보기 <u>어려운</u> 것은?

① 사원증을 출입문 리더기에 읽혀야만 회사 건물 안으로 들어갈 수 있다.
② 농산물에 태그를 부착해 매장 내 휴대용 리더기로 농산물의 생산자 정보를 확인할 수 있다.
③ 고속 도로 요금소에서는 차량에 부착된 기기와의 통신을 통해 교통 요금을 자동으로 처리할 수 있다.
④ 과학 문제집에 인쇄된 바코드를 바코드 리더기로 찍으면 가격이 입력되어 손님이 직접 계산할 수 있다.
⑤ 음반 매장의 음반에 상품 태그를 부착하여 계산하지 않은 음반을 들고 나가면 경보가 울려서 도난을 방지할 수 있다.

06 <u>보기</u>를 참고할 때, ㉠의 '초'와 그 의미가 <u>다른</u> 것은?

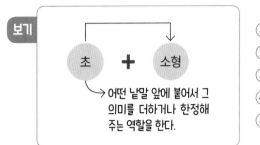

① 초능력
② 초저녁
③ 초만원
④ 초고층
⑤ 초고속

완벽 마스터 문제

07 각 문단의 중심 내용으로 적절하지 <u>않은</u> 것은?

① 1문단: RFID 기술 소개

1문단에서는 전파를 이용해 무선으로 정보를 전달하는 RFID 기술을 소개하고 있다.

② 2문단: RFID의 구성 장치와 그 역할

2문단에서는 RFID를 구성하는 태그, [❶   ], 컴퓨터 등의 장치와 그 역할을 설명하고 있다.

③ 3문단: 바코드와 달리 RFID가 가진 장점

3문단에서는 빛을 사용하는 [❷   ]와 달리, 전파를 사용하는 RFID의 장점을 살펴보고 있다.

④ 4문단: RFID 기술의 발전 가능성과 전망

4문단에서는 RFID가 다양한 시스템에서 활용되고 있는 사례를 나열하고 있다.

⑤ 5문단: NFC와 MST의 장단점

5문단에서는 RFID 이외의 [❸   ] 통신 기술인 NFC와 MST의 장점과 단점을 설명하고 있다.

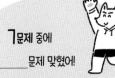

7문제 중에
_____ 문제 맞혔어!

10

무엇이든 만들어요, 3차원 프린터

이번에 읽을 글은 3차원 프린터가 무엇이고 어떻게 활용되고 있는지 설명하고 있어.
글을 읽기 전에 어휘를 미리 알아 두면 글을 이해하는 데 도움이 될 거야.

읽기 전 어휘 체크

- 도면
- 주목
- 제작
- 폐기물
- 전송
- 이식하다
- 정교하다

01 한자를 통해 뜻 추측하기

다음 한자를 보고 각 어휘의 뜻을 추측하시오.

도면	주목	제작	폐기물	전송
圖 그림 도 面 표면 면	注 모으다 주 目 눈 목	製 만들다 제 作 만들다 작	廢 버리다 폐 棄 버리다 기 物 물건 물	電 전기 전 送 보내다 송
①	②	③	④	⑤

ㄱ	ㄴ	ㄷ	ㄹ	ㅁ
못 쓰게 되어 버리는 물건.	글이나 사진을 전류나 전파를 이용하여 먼 곳에 보냄.	관심을 가지고 주의 깊게 살핌. 또는 그 시선.	토목·건축·기계의 구조나 설계를 도형과 공간에 바탕을 두고 그린 그림.	재료를 가지고 기능과 내용을 가진 새로운 물건이나 예술 작품을 만듦.

02 문장을 통해 뜻 추측하기

다음 문장에 공통으로 쓰인 '이식하다'의 뜻을 추측하시오.

> • 모발을 이식하여 탈모를 치료하기도 한다.
> • 화상을 입은 얼굴에 허벅지 피부를 이식하는 수술을 받았다.
> • 상태가 위급한 환자에게 이식할 장기가 때마침 병원에 도착했다.

① 사는 곳을 다른 데로 옮기다.
② 식물을 다른 곳으로 옮겨 심다.
③ 살아 있는 조직이나 장기를 다른 부분 혹은 다른 몸에 옮겨 붙이다.

03 자료를 통해 뜻 추측하기

다음을 보고 '정교하다'의 뜻을 추측하시오.

「피에타」는 미켈란젤로의 조각으로, 옷의 작은 주름이며 손등의 핏줄까지 정교하게 표현되어 있다.

▲ 미켈란젤로, 「피에타」

① 꾸밈이나 거짓이 없이 수수하고 순수하다.
② 감탄을 일으킬 만큼 규모가 크고 으리으리하다.
③ 솜씨나 기술이 정밀하고 짜임새나 생김새가 아기자기하게 묘하다.

> 지금 배운 어휘들은 이어질 글에 표시해 두었어.
> 어휘의 뜻을 떠올리며 글을 읽어 보자.

10
무엇이든 만들어요, 3차원 프린터

이 글을 읽기 전에 먼저
이 글의 독해 포인트 를 확인해 보자!

독해 포인트

1 3차원 프린터와 2차원 프린터는 어떻게 다른가?

2 3차원 프린터는 어떤 분야에서 활용되고 있는가?

#1문단 요즘 **주목**받고 있는 3차원 프린터가 등장한 것은 1980년대이다. 개발 초기만 해도 높은 가격과 전문성으로 산업용으로만 사용되던 3차원 프린터가 점차 가격이 떨어지고 조작이 쉬워지면서 최근에는 일반 사무실이나 가정에서도 쉽게 접할 수 있게 되었다.

#2문단 3차원 프린터는 우리가 일반적으로 사용하는 2차원 프린터와 어떻게 다를까? ㉠2차원 프린터는 잉크나 레이저 등을 이용해 데이터를 종이 표면에 인쇄한다. 따라서 평면으로 된 이미지만 [1]출력할 수 있다. 반면 ㉡3차원 프린터는 먼저 대상의 데이터를 가로로 1만 층 이상 잘게 나누어 [2]분석한 다음 그 모양에 따라 플라스틱이나 금속 가루 등의 다양한 재료를 얇게 쏘아서 층층이 쌓아 올린다. 그리하여 자동차 모형, 스마트폰 케이스 등과 같이 입체로 된 물건을 출력할 수 있다.

#3문단 3차원 프린터는 실제 제품을 **제작**할 때 시간과 비용을 줄일 수 있다는 측면에서 @**빛을 발한다.** 여러 가지 부품을 조립하여 만드는 소규모 장비를 3차원 프린터를 이용하면 완성품으로 바로 출력할 수 있다. 한 번에 완성된 모양으로 나오므로 덩어리를 자르거나 깎아서 생기는 **폐기물**이 줄고, 재료에 들어가는 비용도 아낄 수 있다. 수정 사항을 제품에 쉽게 반영할 수 있는 것도 장점이다. 제품의 디자인을 변경해야 한다거나 생산한 제품에서 [3]오류를 발견했을 경우, 컴퓨터로 **도면**만 수정하면 수정된 형태의 제품을 바로 제작할 수 있다.

어휘 태그

1 **출력할** 컴퓨터와 같은 기기나 장치가 입력을 받아 일을 하고 외부로 결과를 낼.
2 **분석한** 얽혀 있거나 복잡한 것을 풀어서 개별적인 요소나 성질로 나눈.
3 **오류** 그릇되어 이치에 맞지 않는 것.

#4문단 이와 같은 장점을 지닌 3차원 프린터는 이미 다양한 분야에서 활용되고 있다. 의료 분야에서는 3차원 프린터를 활용하여 ⁴인공 턱, 인공 귀, 인공 발 등과 같이 인간의 신체에 **이식할** 수 있는 복잡하고 **정교한** 인공 신체 기관을 생산하고 있다. 우주 항공 분야에서는 로켓, 화성 ⁵탐사선, 우주복까지 다양한 장비를 3차원 프린터로 만들어 사용하고 있다. 3차원 프린터를 사용하면 로켓을 만들 때 필요한 부품 수를 줄여 비용을 아낄 수 있다고 한다. 현재는 달의 ⁶광물과 암석 등을 재료로 사용하는 방법을 연구 중이라고 한다. 지구에서부터 힘들게 물건을 운반할 필요 없이 데이터만 **전송**하면 바로 달에서 제작이 가능하기 때문이다. 식품 분야에는 3차원 푸드 프린터가 등장하기도 했다. 음식을 만들 때 필요한 재료만 있으면 초콜릿이나 피자와 같은 음식을 편리하고 빠르게 만들 수 있다.

#5문단 3차원 프린터는 기술이 발달하면서 점점 더 많은 분야에서 활용될 뿐 아니라 시장의 규모도 커지고 있다. 아직은 전문 분야에서 활용되는 경우가 많지만, 일반 가정에서도 쉽게 사용할 수 있는 3차원 펜이 나올 정도로 기술 발전이 빠르게 이루어지고 있다. 미래에는 인터넷으로 주문한 물건을 배송받는 것이 아니라 그 자리에서 3차원 프린터로 출력하는 시대가 올지도 모른다.

▲ 3차원 프린터가 제품을 출력하는 장면

#문단별 핵심 태그

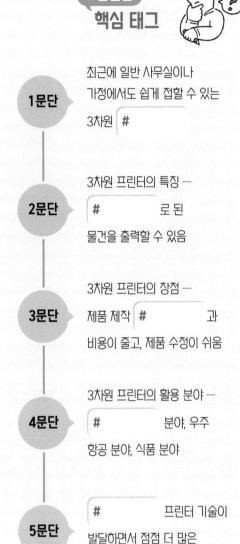

1문단 최근에 일반 사무실이나 가정에서도 쉽게 접할 수 있는 3차원 [#]

2문단 3차원 프린터의 특징 — [#]로 된 물건을 출력할 수 있음

3문단 3차원 프린터의 장점 — 제품 제작 [#]과 비용이 줄고, 제품 수정이 쉬움

4문단 3차원 프린터의 활용 분야 — [#] 분야, 우주 항공 분야, 식품 분야

5문단 [#] 프린터 기술이 발달하면서 점점 더 많은 분야에서 활용되고 있음

어휘 태그

4 **인공** 사람의 힘으로 자연에 대하여 가공하거나 작용을 하는 일.
5 **탐사선** 우주 공간에서 지구나 다른 행성들을 조사하기 위해 쏘아 올린 비행 물체.
6 **광물** 사람이 이용하기 위해 파내거나 모으는, 땅과 물 속에 섞여 있는 철·금·은 등의 물질.

지문의 난이도는 어땠어?

1 3차원 프린터와 2차원 프린터 비교

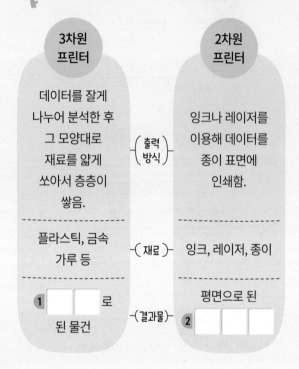

3차원 프린터

데이터를 잘게 나누어 분석한 후 그 모양대로 재료를 얇게 쏘아서 층층이 쌓음.

플라스틱, 금속 가루 등

1 [　][　]로 된 물건

— 출력 방식 —
— 재료 —
— 결과물 —

2차원 프린터

잉크나 레이저를 이용해 데이터를 종이 표면에 인쇄함.

잉크, 레이저, 종이

평면으로 된 **2** [　][　][　]

2 3차원 프린터의 활용 분야

3 [　][　] 분야

인간의 신체에 이식할 수 있는 인공 신체 기관을 제작함.
예) 인공 턱, 인공 귀, 인공 발

우주 항공 분야

• 다양한 장비를 만들어 사용함.
  예) 로켓, 화성 탐사선, 우주복
• 달의 광물과 암석을 재료로 사용하는 방법을 연구 중임.

식품 분야

3차원 **4** [　][　] 프린터로 편리하고 빠르게 음식을 만듦.
예) 초콜릿, 피자

---

01 이 글에서 확인할 수 있는 정보가 <u>아닌</u> 것은?

① 3차원 프린터의 좋은 점
② 2차원 프린터의 발전 과정
③ 2차원 프린터의 작동 방법
④ 3차원 프린터가 활용되는 곳
⑤ 3차원 프린터가 개발된 시기

독해 포인트 문제

02 ㉠과 ㉡을 비교한 내용으로 적절하지 <u>않은</u> 것은?

① ㉡과 달리, ㉠은 평면의 결과물만 만들어 낸다.
② ㉡과 달리, ㉠은 잉크나 레이저를 재료로 사용한다.
③ ㉠과 달리, ㉡은 입체로 된 물건을 출력한다.
④ ㉠과 달리, ㉡은 재료를 종이 표면에 인쇄하여 결과물을 만든다.
⑤ ㉠과 달리, ㉡은 출력할 대상의 데이터를 가로로 잘게 나누어 분석한다.

독해 포인트 문제

03 '3차원 프린터'의 활용 분야와 활용 사례를 연결한 것으로 적절하지 <u>않은</u> 것은?

	활용 분야	활용 사례
①	의료	인공 발 제작
②	우주 항공	탐사선 제작
③	우주 항공	로켓 도면 제작
④	식품	피자 제작
⑤	식품	초콜릿 제작

04 다음은 '3차원 프린터'를 이용하여 결과물을 만드는 과정을 정리한 것이다. 적절하지 <u>않은</u> 것은?

만들고자 하는 대상의 데이터를 3차원 프린터에 입력한다.

↓

3차원 프린터

① 대상의 데이터를 가로로 1만 층 이상 잘게 나누어 분석한다.
② 분석한 모양에 따라 재료를 얇게 쏜다.
③ 얇게 쏜 재료를 층층이 쌓아 올려 대상의 모양을 만든다.

↓

④ 대상의 디자인을 변경해야 할 경우 컴퓨터로 도면을 수정한 후 다시 출력한다.
⑤ 출력된 덩어리를 자르거나 깎아서 입체 결과물을 완성한다.

05 보기에서 '3차원 프린터'에 대한 글쓴이의 전망으로 적절한 것을 골라 바르게 묶은 것은?

보기
ㄱ. 3차원 프린터 시장의 규모가 점점 커질 것이다.
ㄴ. 3차원 프린터의 활용 분야가 많아지면서 기기의 가격이 크게 오를 것이다.
ㄷ. 2차원 프린터와 작동 방식이 달라 생산량이 증가하는 데 제약이 생길 것이다.
ㄹ. 기술이 발전함에 따라 지금보다 더 실생활에서 밀접하게 3차원 프린터를 사용하게 될 것이다.

① ㄱ, ㄴ   ② ㄱ, ㄷ   ③ ㄱ, ㄹ
④ ㄴ, ㄷ   ⑤ ㄷ, ㄹ

06 ⓐ와 바꾸어 쓸 수 있는 어휘로 가장 적절한 것은?

① 다양해진다.
② 정확해진다.
③ 복잡해진다.
④ 새로워진다.
⑤ 두드러진다.

완벽 마스터 문제

07 이 글에서 설명하고 있는 '3차원 프린터'의 장점으로 적절하지 <u>않은</u> 것은?

① 제품을 제작하는 시간이 줄어든다.

3문단에서 3차원 프린터는 부품을 조립하는 것이 아니라 바로 완성품을 만든다고 하였다.

② 수정 사항을 제품에 반영하기가 쉽다.

3문단에서 제품의 [❶   ]이나 오류를 수정할 경우 컴퓨터로 도면만 수정하면 된다고 하였다.

③ 복잡하고 정교한 제품도 만들 수 있다.

4문단에서 3차원 프린터로 인간의 신체에 이식하는 [❷   ] 신체 기관도 생산한다고 하였다.

④ 재료에 들어가는 비용을 아낄 수 있다.

3문단에서 3차원 프린터는 한 번에 완성된 모양을 만들기 때문에 폐기물도 줄고 재료비도 아낄 수 있다고 하였다.

⑤ 우주에 있는 재료로도 물건 제작이 가능하다.

4문단에서 달에 있는 광물이나 [❸   ]을 재료로 사용하는 방법은 아직 연구 중이라고 하였다.

10 무엇이든 만들어요, 3차원 프린터

7문제 중에
_____문제 맞혔어!

11

두 번 데우는 콘덴싱 보일러

이번에 읽을 글은 콘덴싱 보일러의 원리를 통해 그 강점을 설명하고 있어. 글을 읽기 전에 어휘를 미리 알아 두면 글을 이해하는 데 도움이 될 거야.

01 한자를 통해 뜻 추측하기

다음 한자를 보고 각 어휘의 뜻을 추측하시오.

재활용		채택		회수		배출	
再 다시	재	採 고르다	채	回 돌아오다	회	排 밀치다	배
活 살리다	활	擇 선택하다	택	收 거두다	수	出 나가다	출
用 쓰다	용						
①		②		③		④	

ㄱ	ㄴ	ㄷ	ㄹ
도로 거두어들임.	안에서 밖으로 밀어 내보냄.	못 쓰게 되어 버린 물품을 용도를 바꾸거나 가공하여 다시 씀.	작품, 의견, 제도 등을 골라서 다루거나 뽑아 씀.

02 문장을 통해 뜻 추측하기

다음 문장에 공통으로 쓰인 '장착하다'의 뜻을 추측하시오.

> - 컴퓨터에 메모리를 추가로 **장착하였다.**
> - 삼각대에 카메라를 **장착하고** 촬영하였다.
> - 스키와 보드를 자동차 지붕 위에 **장착하였다.**

① 목적한 곳에 다다르다.
② 의복, 기구, 장비에 기계나 도구를 달다.
③ 일정한 곳에 자리를 잡아 붙박이로 있거나 머물러 살다.

03 사전에서 뜻 찾기

다음 과학 용어 사전을 참고하여 빈칸에 들어갈 알맞은 어휘를 쓰시오.

과학 용어 사전

- **연소**: 물질이 산소와 만나 빛과 열을 내면서 탐.
- **응축**: 기체가 액체로 변함. 또는 그런 현상.

▲ 강철솜이 연소되는 모습

(1) 욕실 천장의 물방울은 수증기가 [   ] 된 것이다.

(2) [   ] 는 연료, 불이 붙는 온도, 산소가 있어야만 일어난다.

> 지금 배운 어휘들은 이어질 글에 **표시**해 두었어.
> 어휘의 뜻을 떠올리며 글을 읽어 보자.

11
두 번 데우는 콘덴싱 보일러

이 글을 읽기 전에 먼저
이 글의 독해 포인트 를 확인해 보자!

독해 포인트

1 콘덴싱 보일러의 작동 원리는 무엇인가?

2 콘덴싱 보일러의 강점은 무엇인가?

#1문단 예로부터 우리나라는 아궁이에 불을 때서 방바닥 아래에 깔린 넓적한 돌인 구들장을 덥히고, 그 구들장의 열기를 방 전체에 전달하는 온돌 방식으로 난방을 해 왔다. 세월이 흘러 과거의 아궁이가 하던 역할을 이제는 보일러가 대신하게 되었다. 특히 최근에는 미세 먼지 **배출**을 줄이고 난방비도 아낄 수 있는 '콘덴싱 보일러'가 인기를 끌고 있다. 그렇다면 과연 콘덴싱 보일러의 작동 원리는 무엇일까?

#2문단 먼저 ㉠일반 보일러는 [1]송풍기를 통해 공기가 들어오면 [2]버너에서 연료를 태워 공기를 가열한다. 이렇게 발생한 고온의 [3]배기가스를 열 교환기에서 사용하여 내부에 흐르는 물을 데운다. 그런 후 일반 보일러는 물을 데우고 난 뒤의 배기가스를 밖으로 그냥 내보내게 된다. 이때 가스의 온도는 180도나 된다.

#3문단 ㉡콘덴싱 보일러는 마지막에 배출되는 이 고온의 배기가스를 다시 이용하는 보일러를 말한다. '콘덴싱'은 물리학적으로 기체가 액체로 **응축**되는 과정을 의미하는데, 이미 물을 한 번 데우고 난 고온의 배기가스가 한번 더 내부의 차가운 물을 데운 뒤 액체로 바뀌기 때문에 '콘덴싱 보일러'라는 이름이 붙었다. 콘덴싱 보일러는 일반 보일러의 열 교환기에 배기가스가 가진 [4]잠열을 다시 사용하도록 해 주는 '잠열 교환기'를 하나 더 **장착하고** 있다.

어휘 태그

1 **송풍기** 바람을 일으켜 보내는 기계. 실내의 환기나 화로의 통풍을 위해 쓰임.
2 **버너(burner)** 연료를 공기와 혼합하여 연소시켜 많은 빛과 열을 내도록 하는 기구.
3 **배기가스** 열을 만드는 기관에서 불필요하게 되어 배출하는 가스. 수증기, 연소 생성물, 연소되지 않고 남은 연료, 그을음, 먼지로 이루어져 있음.
4 **잠열** 고체가 액체로, 액체가 기체로 변할 때, 온도 상승의 효과를 나타내지 않고 단순히 물질의 상태를 바꾸는 데 쓰는 열. 숨은열.

#4문단 이렇게 콘덴싱 보일러의 잠열 교환기에서는 수증기가 물로 변하고, 잠열 교환기는 이 잠열을 **회수**한다. 따라서 콘덴싱 보일러에서 배출되는 배기가스의 온도는 50~60도밖에 되지 않는다. 이렇게 배기가스를 **재활용**하는 콘덴싱 보일러의 열효율은 97 %나 된다. 이는 일반 보일러의 평균 열효율인 82 %보다 높은 것이다. 열효율이 좋기 때문에 콘덴싱 보일러를 사용하면 가구당 연간 15~20만 원의 비용 [5]절감 효과를 기대할 수 있다고 한다.

#5문단 이것뿐만이 아니라 콘덴싱 보일러는 첨단 안전 제어 기술인 공기 [6]비례 제어 기술도 **채택**하고 있다. 보일러는 송풍기로 들어오는 공기의 압력이 너무 세지거나 기타 외부의 악조건으로 **연소**가 어려워지는 때가 있다. 이때에도 콘덴싱 보일러는 가장 최적의 연소 상태를 만들어 유해 가스 배출을 줄여 안전성과 [7]효율성을 높인다. 일반 보일러도 연료 비례 제어 기술을 도입하고 있지만, 들어오는 공기의 양과 상관없이 설정 온도가 높으면 연료만 많이 쓰게 된다. 이러면 연소 효율도 낮아지고 유해 가스도 많이 나온다. 이러한 점에서 볼 때, 콘덴싱 보일러의 ⓐ 은 고효율과 친환경이라고 할 수 있다.

#문단별
핵심 태그

1문단
최근에 인기를 끌고 있는 콘덴싱 # 의 작동 원리에 대한 궁금증

2문단
내부의 물을 데운 # 가 그냥 배출되는 일반 보일러

3문단
교환기를 장착하여 배기가스를 다시 사용하는 콘덴싱 보일러

4문단
열효율이 높아 # 절감 효과를 볼 수 있는 콘덴싱 보일러

5문단
비례 제어 기술을 채택하여 효율성이 높고 친환경적인 콘덴싱 보일러

어휘 태그

5 **절감** 아끼어 줄임.
6 **비례 제어** 온도에 따라 연소되는 연료의 용량을 세밀하게 조절하여 필요한 만큼만 연소하는 기술. 불필요한 연료 소모를 줄이면서 일정한 온도를 유지할 수 있어 경제적이다.
7 **효율성** 들인 노력과 얻은 결과의 비율이 높은 특성.

지문이 난이도는 어땠어?

1 보일러의 작동 원리

보일러의 공통 작동 과정

- 송풍기를 통해 공기가 들어오면 **1** [　][　]에서 연료를 태워 공기를 가열함.
- 열 교환기에서 고온의 **2** [　][　][　][　]를 사용하여 내부에 흐르는 물을 데움.

(차이점)

콘덴싱 보일러

3 [　][　] 교환기에서 배기가스를 이용하여 한 번 더 물을 데운 후 50~60도가 된 배기가스를 밖으로 내보냄.

일반 보일러

180도 가량의 배기가스를 그냥 밖으로 내보냄.

2 콘덴싱 보일러의 강점

열효율 측면	배기가스를 재활용하여 일반 보일러보다 **4** [　][　][　]이 높음.
비용 측면	가구당 연간 15~20만 원의 비용 절감 효과를 기대할 수 있음.
안전성 측면	공기 비례 제어 기술을 채택하여 유해 가스 배출을 줄여 친환경적임.

01 이 글에서 알 수 있는 내용이 <u>아닌</u> 것은?

① 콘덴싱 보일러의 개념
② 콘덴싱 보일러의 장점
③ 콘덴싱 보일러의 작동 원리
④ 콘덴싱 보일러의 발전 역사
⑤ 콘덴싱 보일러의 안전 제어 기술

02 '콘덴싱 보일러'를 홍보하기 위한 문구로 가장 적절한 것은?

① 힘세고 오래 가는 보일러, 콘덴싱 보일러
② 아궁이의 추억을 담은 보일러, 콘덴싱 보일러
③ 외관까지 아름다운 예술 보일러, 콘덴싱 보일러
④ 안전하고 효율적인 친환경 보일러, 콘덴싱 보일러
⑤ 설치비도 아끼고 난방비도 아껴요, 콘덴싱 보일러

독해 포인트 문제
03 ㉠과 ㉡을 비교한 내용으로 적절한 것은?

① ㉠과 ㉡은 모두 잠열 교환기를 가지고 있다.
② ㉠과 ㉡은 모두 난방 후에 배기가스를 배출한다.
③ ㉠과 달리, ㉡은 연료 비례 제어 기술이 적용된다.
④ ㉡과 달리, ㉠은 기체가 액체로 응축되는 과정이 있다.
⑤ ㉠은 전통적인 난방 방식이지만, ㉡은 최근에 개발된 난방 방식이다.

04 다음 설명을 읽고 A와 B에 들어갈 알맞은 말을 각각 쓰시오.

| A | 비례 제어 기술 |

- 일반 보일러에서 도입한 비례 제어 기술임.
- 연소 효율이 낮고 유해 가스가 많이 나옴.

| B | 비례 제어 기술 |

- 콘덴싱 보일러에서 도입한 비례 제어 기술임.
- 연소 효율이 높고 유해 가스 배출을 줄임.

- A: _____

- B: _____

독해 포인트 문제

05 보기 는 '콘덴싱 보일러'의 작동 원리를 나타낸 그림이다. ㄱ~ㅁ에 대한 설명으로 적절하지 않은 것은?

보기

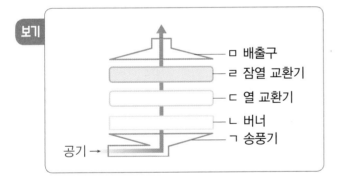

ㅁ 배출구
ㄹ 잠열 교환기
ㄷ 열 교환기
ㄴ 버너
ㄱ 송풍기
공기 →

① ㄱ을 통해 들어온 공기로 연료를 태운다.
② ㄴ에서는 높은 온도의 배기가스가 생성된다.
③ ㄷ을 통과한 배기가스는 잠열을 포함하고 있다.
④ ㄹ을 지나는 과정에서 배기가스의 온도가 낮아진다.
⑤ ㅁ에서 밖으로 배출되는 배기가스는 일반 보일러보다 유해 물질을 많이 포함하고 있다.

06 ⓐ에 들어갈 말로 적절한 것은?

① 강점   ② 단점
③ 결점   ④ 약점
⑤ 허점

완벽 마스터 문제

07 이 글의 내용과 일치하지 않는 것은?

① 콘덴싱 보일러는 열 교환기가 두 개이다.

3문단에서 콘덴싱 보일러는 일반 보일러의 열 교환기 외에 잠열 교환기를 하나 더 장착하고 있다고 하였다.

② 콘덴싱 보일러는 미세 먼지 배출을 줄이고 난방비를 아낀다.

1문단에서 콘덴싱 보일러가 인기를 끄는 이유를 제시하고, 4~5문단에서 이를 구체적으로 밝히고 있다.

③ 일반 보일러는 설정 온도와 상관없이 일정한 양의 연료가 든다.

5문단에서 일반 보일러는 설정한 온도가 높으면 들어오는 [❶   ]의 양과 상관없이 연료를 많이 쓴다고 하였다.

④ 콘덴싱 보일러의 '콘덴싱'은 수증기가 물로 변하기 때문에 붙은 이름이다.

3문단에서 '콘덴싱'은 기체가 [❷   ]로 응축되는 과정을 의미한다고 하였고, 4문단에서 콘덴싱 보일러의 잠열 교환기에서 수증기가 물로 변한다고 하였다.

⑤ 일반 보일러와 콘덴싱 보일러는 모두 보일러 내부에 있는 물을 데워 난방한다.

2~3문단에서 일반 보일러와 콘덴싱 보일러는 고온의 [❸   ]로 물을 데운다고 하였다.

7문제 중에
_____ 문제 맞혔어!

12

옻칠의 매력은 어디에 있을까

이번에 읽을 글은 옻칠이 예로부터 지금까지 널리 쓰이고 있는 까닭을 설명하고 있어. 글을 읽기 전에 어휘를 미리 알아 두면 글을 이해하는 데 도움이 될 거야.

읽기 전 어휘 체크

- 표피
- 방지
- 상온
- 내구성
- 채취
- 소모
- 번식

01 한자를 통해 뜻 추측하기

다음 한자를 보고 각 어휘의 뜻을 추측하시오.

표피	방지	상온	내구성	채취
表 겉　표 皮 가죽, 피 　껍질	防 막다　방 止 그치다 지	常 항상　상 溫 따뜻하다 온	耐 견디다 내 久 오랫동안 구 性 성질　성	採 캐다　채 取 가지다 취
①	②	③	④	⑤

㉠	㉡	㉢	㉣	㉤
가열하거나 냉각하지 않은 자연 그대로의 기온. 보통 15 ℃를 가리킨다.	동물의 바깥쪽 피부. 식물의 표면을 덮고 있는 조직.	풀, 나무, 광석을 찾아 베거나 캐거나 하여 얻어 냄.	물질이 원래의 상태에서 성질이나 모양이 달라지지 않고 오래 견디는 성질.	어떤 일이나 현상이 일어나지 못하게 막음.

02 문장을 통해 뜻 추측하기

다음 문장에 공통으로 쓰인 '소모'의 뜻을 추측하시오.

- 감정 싸움에 쓸데없이 시간을 소모하지 말자.
- 이 에어컨은 전력 소모가 적어 전기료가 적게 든다.
- 우리 팀은 이전 경기에서 체력 소모가 심해 마지막 경기에서 지고 말았다.

① 써서 없앰.
② 시간이나 재물 따위를 헤프게 씀.
③ 헛되이 씀. 또는 그렇게 쓰는 비용.

03 자료를 통해 뜻 추측하기

다음을 보고 '번식'의 뜻을 추측하시오.

비누로 손을 깨끗이 씻으면 세균의 번식을 막을 수 있다.

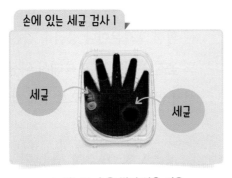

▲ 비누로 손을 씻지 않은 경우

▲ 비누로 손을 씻은 경우

① 죽어 없어짐.
② 살아 있음. 또는 살아남음.
③ 양이나 개수가 늘어서 많이 퍼짐.

지금 배운 어휘들은 이어질 글에 표시해 두었어.
어휘의 뜻을 떠올리며 글을 읽어 보자.

12

옻칠의 매력은
어디에 있을까

이 글을 읽기 전에 먼저
이 글의 독해 포인트 를 확인해 보자!

독해 포인트

1 옻칠이 도료로 널리 쓰인
까닭은 무엇인가?

2 천연 도료인 옻칠과 화학
도료는 어떻게 다른가?

#1문단 옻칠은 옻나무에서 나오는 수액으로, 물건을 칠하는 [1]도료로 사용한다. 옻칠을 제작하는 방법은 다음과 같다. 옻나무 **표피**에 낫으로 상처를 내고 그곳에서 흘러나온 [2]수액을 받아 낸 후 이를 **상온**에 수 시간 보존하거나 기름을 더해 가공하면 된다. 우리나라는 이러한 방법으로 옻칠을 제작하여 아주 오래 전부터 사용하여 왔다. 그렇다면 ㉠천연 도료 중에서도 옻칠이 도료로 널리 쓰인 까닭은 무엇일까?

#2문단 첫째, 옻칠은 구하기 쉬운 재료이다. 옻나무는 전국 어디에서나 쉽게 볼 수 있을 정도로 잘 자라는 나무이다. 또한 수액을 **채취**할 때 상처를 적게 내고 채취 후에 껍질을 정리하면 나무가 죽지 않기 때문에, 옻나무를 심은 지 10년 뒤까지도 매년 수액을 얻을 수 있다.

#3문단 둘째, 옻칠은 인체에 무해한 천연 재료이다. 자연에서 채취할 수 있는 도료이므로 ㉡인공으로 만든 화학 도료에서 문제되는 환경 호르몬이나 중금속 같은 유해 성분이 [3]검출되지 않는다. 또 옻칠은 여러 번 반복해서 완성하는 데 이때 다른 인공 재료는 섞지 않는다. 마지막으로 광을 낼 때에도 [4]토분과 콩기름을 섞어서 솜에 묻힌 후 문지른다. 이후 기름칠을 없애는 데에는 밀가루를 이용한다. 이처럼 옻칠의 모든 과정에는 오로지 천연 재료만 들어간다.

▲ 옻칠을 한 수저

━━(어휘 태그)━━

1 도료 물건의 겉에 칠하여 그것을 썩지 않게 하거나 외관상 아름답게 하는 재료. 바니시, 페인트, 옻칠 등이 있다.

2 수액 소나무나 전나무와 같은 나무에서 분비하는 차지고 끈끈한 정도가 높은 액체.

3 검출되지 화학 분석에서, 분석할 물질이나 생물 속에 화학종이나 미생물이 있는지가 밝혀지지.

4 토분 찰흙을 물이나 묽은 청각(해조류) 용액으로 개어 건조시킨 덩이로, 물에 풀어서 페인트나 바니시의 애벌칠로 쓴다.

#4문단 셋째, 옻칠은 **내구성**이 뛰어난 재료이다. 옻칠은 외부의 [5]습기를 빨아들이거나 내보내면서 항상 일정한 수분을 유지한다. 그래서 제품의 표면에 옻칠을 하면 튼튼한 막이 형성되어 [6]광택이 나고 오랫동안 사용해도 변하지 않는다. 또한 옻칠은 방수, 방충, 방염, 절연 효과가 뛰어나서 세균의 **번식**을 막고 [7]부식을 **방지**한다. 방염 효과를 알아보기 위한 한 실험에서 화학 도료를 바른 나무판에는 5초 만에 불이 붙었지만, 옻칠을 한 나무판에는 무려 6배나 긴 30초가 지나서야 불이 붙었다.

#5문단 이러한 특성 때문에 옻칠은 예로부터 각종 생활용품은 물론 공예품, 목조 건물, 군사용품까지 널리 사용되어 왔다. 현대에는 고급 자동차와 [8]첨단 잠수함에 사용될 뿐 아니라 IT 기기와 가전제품 표면에 바르는 최고급 도료로 사용되기까지 한다. 그러나 옻칠은 페인트, 니스와 같은 화학 도료처럼 값도 싸지 않고 다양한 색깔을 낼 수도 없으며 대량 생산도 되지 않는다는 한계가 있다. 그럼에도 화학 도료를 생산하는 데에는 석유 등 많은 에너지가 **소모**되며, 그 과정에서 엄청난 공해 물질이 발생한다는 것을 생각해야 한다. 게다가 화학 도료는 도료와 제품 간의 접착력도 약하다. 반면 옻칠은 천연 도료이므로 친환경적이고, 금속과도 잘 결합해 수명도 오래간다. 그러므로 옻칠의 장점을 살려 현대 기술과 접목해 나간다면 친환경 도료로서의 옻칠의 매력은 더욱 빛을 발할 것이다.

#문단별 핵심 태그

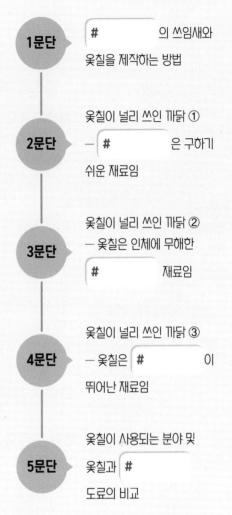

1문단 — **#　　　　**의 쓰임새와 옻칠을 제작하는 방법

2문단 — 옻칠이 널리 쓰인 까닭 ① — **#　　　　**은 구하기 쉬운 재료임

3문단 — 옻칠이 널리 쓰인 까닭 ② — 옻칠은 인체에 무해한 **#　　　　** 재료임

4문단 — 옻칠이 널리 쓰인 까닭 ③ — 옻칠은 **#　　　　**이 뛰어난 재료임

5문단 — 옻칠이 사용되는 분야 및 옻칠과 **#　　　　** 도료의 비교

어휘 태그

5 **습기** 물기가 많아 젖은 듯한 기운.
6 **광택** 빛의 반사로 물체의 표면에서 반짝거리는 빛.
7 **부식** 나무 등이 썩어서 문드러지거나, 금속 등이 산소를 만나 녹슬어 변하는 현상.
8 **첨단** 한 시대의 일반적인 사상의 흐름이나 학문, 유행의 맨 앞 자리.

12 옻칠의 매력은 어디에 있을까

지문의 난이도는 어땠어?

1 옻칠이 도료로 널리 쓰인 까닭

구하기 쉬운 재료	• **1** ☐☐☐ 는 전국 어디에서나 쉽게 볼 수 있을 정도로 잘 자람. • 수액을 채취할 때 옻나무에 상처를 적게 내면 수액을 오래 채취할 수 있음.
인체에 무해한 천연 재료	• 환경 호르몬이나 **2** ☐☐☐ 같은 유해 성분이 검출되지 않음. • 옻칠을 하는 전 과정에 천연 재료만 들어감.
내구성이 뛰어난 재료	• 항상 일정한 수분을 유지하여 튼튼한 막이 오래 변하지 않음. • 방수, 방충 등의 효과가 뛰어나 세균 번식과 **3** ☐☐ 을 방지함.

2 천연 도료인 옻칠과 화학 도료의 비교

옻칠 / **화학 도료**

(장점)
- 옻칠: 천연 도료이므로 친환경적임. 접착력이 강해 수명이 오래감.
- 화학 도료: 값이 쌈. 다양한 색깔을 낼 수 있음. 대량 생산이 가능함.

(단점)
- 옻칠: 값이 싸지 않음. 다양한 **4** ☐☐ 을 낼 수 없음. 대량 생산이 되지 않음.
- 화학 도료: 생산하는 데 많은 에너지가 소모됨. 생산 과정에서 엄청난 공해 물질이 발생함. 도료와 제품 간의 접착력이 약함.

01 이 글에 제시된 정보가 <u>아닌</u> 것은?

① 옻칠을 하는 과정
② 옻칠을 제작하는 방법
③ 옻칠이 사용되는 제품
④ 옻칠이 널리 쓰인 까닭
⑤ 옻칠을 현대 기술과 접목하는 방법

02 '옻칠'이 도료로 널리 쓰인 까닭으로 적절하지 <u>않은</u> 것은?

① 싼 가격으로 다양한 색깔을 넣어 만들 수 있기 때문에
② 일정한 수분을 유지하는 내구성이 뛰어난 재료이기 때문에
③ 옻칠을 하는 전 과정에 인체에 무해한 천연 재료들만 사용되기 때문에
④ 옻칠의 재료가 되는 옻나무를 전국 어디에서나 쉽게 볼 수 있기 때문에
⑤ 채취 방법에 따라 옻나무를 죽이지 않고 오랜 기간 채취할 수 있기 때문에

03 '화학 도료'의 한계로 적절하지 <u>않은</u> 것은?

① 도료와 제품 간의 접착력이 약하다.
② 대량으로 생산하는 것이 불가능하다.
③ 생산 과정에 많은 에너지가 소모된다.
④ 생산 과정에서 엄청난 공해 물질이 발생한다.
⑤ 환경 호르몬이나 인체에 유해한 성분이 검출된다.

04 다음은 '옻칠'의 제작 방법과 제품에 '옻칠'을 하는 과정을 차례대로 나타낸 것이다. 설명으로 적절하지 <u>않은</u> 것은?

① 옻나무 표피에 상처를 내어 그곳에서 흘러나오는 수액을 받는다.

② 수액을 상온에 여러 시간 보존하거나 기름을 더해 가공한다.

③ 제품에 옻칠은 딱 한 번만 해서 다른 물질이 섞이지 않게 한다.

④ 토분과 콩기름을 섞어 솜에 묻혀 제품을 문질러서 광을 낸다.

⑤ 밀가루를 이용하여 제품에 남은 기름칠을 없앤다.

06 두 어휘의 의미 관계가 ㉠ : ㉡의 관계와 유사한 것은?

① 겨울 : 계절
② 직업 : 선생님
③ 흑색 : 검은색
④ 차갑다 : 뜨겁다
⑤ 잠그다 : 닫아걸다

완벽 마스터 문제

07 이 글의 내용과 일치하는 것은?

① 옻칠을 하면 제품의 수명이 줄어든다.

> 4문단에서 옻칠이 내구성이 뛰어난 재료라고 설명하였고, 5문단에서 옻칠이 [❶   ]과도 잘 결합한다고 하였다.

② 옻칠을 하면 세균의 번식을 막을 수 있다.

> 4문단에서 옻칠은 방수, 방충, 방염, 절연 효과가 뛰어나 부식을 방지한다고 하였다.

③ 옻칠은 전기 제품의 도료로는 적합하지 않다.

> 5문단에서 옻칠이 현대에는 고급 자동차, 첨단 잠수함, IT 기기, 가전 제품 표면을 바르는 데 쓰인다고 하였다.

④ 옻칠을 할 수 있는 제품의 종류는 제한적이다.

> 5문단에서 옻칠은 예로부터 다양한 제품에 널리 사용되어 왔고, 현대에도 다양한 제품에 사용되고 있다고 하였다.

⑤ 옻칠은 옻나무에서 나오는 껍질을 주재료로 한다.

> 1문단에서 옻칠은 옻나무 껍질에 상처를 내어 흘러나온 [❷   ]으로 제작한다고 하였다.

05 이 글의 내용을 바탕으로 보기 의 실험 결과를 예측할 때, 알맞은 말을 골라 ○표를 하시오.

보기

각각 다른 도료를 칠한 나무판에 같은 크기의 불꽃을 쏘았을 때

A 니스를 칠한 나무판   B 옻칠을 한 나무판

(1) [방수 / 방충 / 방염] 효과가 뛰어난
(2) [A / B]가 더 늦게 불이 붙을 것이다.

7문제 중에 _____문제 맞혔어!

13

인간의 네 가지 유형

이번에 읽을 글은 벨라비스타 이론을 바탕으로 인간의 성향을 네 가지로 나누고 있어.
글을 읽기 전에 어휘를 미리 알아 두면 글을 이해하는 데 도움이 될 거야.

읽기 전 어휘 체크

- 생존
- 독재자
- 현자
- 갈구
- 공존
- 성향
- 모순

01 한자를 통해 뜻 추측하기

다음 한자를 보고 각 어휘의 뜻을 추측하시오.

생존	독재자	현자	갈구	공존
生 살다 생 存 있다 존	獨 혼자 독 裁 결정하다 재 者 사람 자	賢 어질다 현 者 사람 자	渴 목마르다 갈 求 구하다 구	共 함께 공 存 있다 존
①	②	③	④	⑤

ㄱ	ㄴ	ㄷ	ㄹ	ㅁ
간절히 바라며 구함.	어질고 총명하여 본받을 만한 사람.	두 가지 이상의 사물이나 현상이 함께 존재함.	살아 있음. 또는 살아남음.	절대 권력을 가지고 혼자서 판단하거나 결정하는 정치를 하는 사람.

02 문장을 통해 추측하기

다음 문장에 공통으로 쓰인 '성향'의 뜻을 추측하시오.

> • 현대인들은 개인주의적 **성향**이 짙다.
> • 정치 **성향**을 물어보는 일은 조심스러울 수밖에 없다.
> • 신혼부부의 소비 **성향**에 맞추어 이번 가전제품 전시회를 마련하였다.

① 여럿 가운데서 특별히 가려서 좋아함.
② 생물체가 태어나면서부터 가지고 있는 억누를 수 없는 감정이나 충동.
③ 사람이 지닌 마음의 본바탕에 따라 일정한 자극에 대하여 일정한 반응을 보이는 것.

03 자료를 통해 뜻 추측하기

다음을 보고 '모순'의 뜻을 추측하시오.

모순(矛 창 모, 盾 방패 순)

중국 초나라의 상인이 창과 방패를 팔면서 창은 어떤 방패로도 막지 못하는 창이라고 하고, 방패는 어떤 창으로도 뚫지 못하는 방패라고 하였다. 이 말을 들은 사람들이 그 창으로 그 방패를 찌르면 무엇이 이기느냐 묻자 상인은 대답하지 못했다. 그 후로 이처럼 앞뒤가 맞지 않는 말을 '모순'이라고 한다.

① 이익이 되지 않고 손해가 되는 데가 있음.
② 두 사물이 모양, 위치, 방향, 순서에서 등지거나 서로 맞섬.
③ 어떤 사실의 앞뒤, 또는 두 사실이 이치상 어긋나서 서로 맞지 않음.

> 지금 배운 어휘들은 이어질 글에 **표시**해 두었어.
> 어휘의 뜻을 떠올리며 글을 읽어 보자.

13
인간의
네 가지 유형

이 글을 읽기 전에 먼저
이 글의 독해 포인트 를 확인해 보자!

독해 포인트

1 벨라비스타 이론에서는 인간을
어떻게 분류하는가?

2 벨라비스타 이론에 따라
구분한 네 영역의 특징은
무엇인가?

#1문단 현대 그리스 철학자 벨라비스타는 자신의 벨라비스타 이론에서 인간은 누구나 두 개의 서로 다른 **성향**에 의해 지배된다고 하였다. 첫 번째는 사랑을 ⓐ**갈구**하는 성향이고 두 번째는 무슨 일이 있어도 자신의 자유를 지키려는 성향이다. 그는 이러한 두 가지 성향 중 어느 것이 더 강하게 나타나는가에 따라 인간을 ㉠사랑의 인간형과 ㉡자유의 인간형으로 분류할 수 있다고 하였다.

#2문단 사랑의 인간형에 속하는 사람은 자기를 사랑해 주는 사람만 있으면 행복해질 수 있다. 식물에게 물이 필요하듯이 그에게 사랑은 **생존**에 반드시 필요한 조건이다. 따라서 사랑의 인간형은 늘 타인과 함께하려고 한다. 반대로 자유의 인간형에 속하는 사람은 자신의 생활 공간을 [1]성역으로 생각한다. 그래서 외부로부터 압박이 있으면 마음의 평화를 누릴 수 없다. 그에게 자유란 평화로운 공간과 새로운 환경을 추구하는 욕구이다.

#3문단 벨라비스타 이론의 [2]독창성은 두 가지 성향을 모두 긍정적으로 본다는 점에 있다. 사랑과 자유를 [3]좌표의 [4]축으로 나타내면서 이 둘을 서로 반대 지점이 아니라 수직으로 만나는 두 개의 긍정적인 축 위에 표시하는 것이다. 즉 좌표의 가로축이 사랑, 세로축이 자유가 된다. 사랑을 추구하는 성향과 자유를 추구하는 성향의 비율에 따라 사랑의 축과 자유의 축 사이에 무수히 많은 점(P)을 찍을 수 있는데, 이 점들이 인간의 다양한 성향을 나타내는 점이 된다.

(어휘 태그)

1 **성역** 신성한 지역. 함부로 침범할 수 없는 나름대로의 구역을 비유적으로 이르는 말.
2 **독창성** 다른 것을 따라하지 않고 새로운 것을 처음으로 만들어 내는 성질.
3 **좌표** 직선, 평면, 공간에 있는 임의의 점의 위치를 나타내는 수.
4 **축** 좌표축. 좌표를 정할 때 기준이 되는 선. 엑스축, 와이축 등이 있다.

#4문단 좌표의 축을 왼쪽과 아래쪽으로 확장하면 좌표축에 의해 나누어지는 영역은 모두 네 영역이 되는데, 각 영역은 각각 다른 인간의 유형을 보여 주고 있다. 먼저 오른쪽에 있는 영역부터 살펴보자. 첫 번째 영역은 '**현자**의 영역'인데 사랑과 자유를 동시에 지닌 사람을 나타내는 영역이다. 이 영역에는 [5]인품이 훌륭한 사람들이 많다. 두 번째 영역은 '교황의 영역'인데, 사랑과 권력을 동시에 지닌 사람들이 속하는 영역이다. 이 영역에 속하는 사람들은 질투심이 많아 상대를 자신의 지배하에 두려고 한다.

#5문단 이번에는 왼쪽에 해당하는 영역을 알아보자. 세 번째 영역은 증오와 권력을 공유하는 '폭군의 영역'이다. 히틀러와 스탈린 같은 **독재자**가 이 영역에 속한다. 마지막은 증오와 자유가 섞여 있는 '반항아의 영역'이다. 이 영역에 속하는 사람들은 자유에 대한 ⓑ[6]갈망과 [7]억압에 대한 [8]증오를 동시에 지닌다. 얼핏 **모순**인 것처럼 보이지만 독재가 있는 곳에서 폭력적인 방법으로 독재에 맞서는 반대파를 떠올린다면 증오와 자유가 어떻게 **공존**할 수 있는지 이해할 수 있을 것이다. 이처럼 벨라비스타 이론은 자칫 [9]이중적으로 보이는 사람들의 행동을 설명할 수 있는 이론이다.

#문단별
핵심 태그

1문단 어떤 ⬜# 이 더 강한지에 따라 인간형을 분류하는 벨라비스타 이론

2문단 #⬜ 의 인간형과 자유의 인간형에 속하는 사람들의 특징

3문단 사랑의 성향과 자유의 성향을 모두 긍정적으로 보는 #⬜ 이론

4문단 벨라비스타 이론의 영역별 특징 ① − 현자의 영역과 #⬜ 의 영역

5문단 벨라비스타 이론의 영역별 특징 ② − #⬜ 의 영역과 반항아의 영역

(어휘 태그)

5 **인품** 사람이 사람으로서 가지는 품격이나 됨됨이.

6 **갈망** 간절히 바람.

7 **억압** 자기의 뜻대로 자유로이 행동하지 못하도록 억지로 억누름.

8 **증오** 아주 사무치게 미워함. 또는 그런 마음.

9 **이중적** 두 번 거듭되거나 겹치게 되는 것.

1 벨라비스타 이론의 인간형

1 ☐☐의 인간형	• 사랑을 갈구하는 성향임. • 자신을 사랑해 주는 사람만 있으면 행복해짐. • 늘 타인과 함께하려고 함.
2 ☐☐의 인간형	• 무슨 일이 있어도 자신의 자유를 지키려는 성향임. • 외부의 압박이 있으면 마음의 평화를 누릴 수 없음. • 평화로운 공간과 새로운 환경을 추구함.

2 벨라비스타 이론에 따라 구분한 네 영역의 특징

3 ☐☐의 영역	• 사랑과 자유를 동시에 지님. • 인품이 훌륭한 사람들이 많음.
교황의 영역	• 사랑과 권력을 동시에 지님. • 4 ☐☐☐이 많아 상대를 자신의 지배하에 두려고 함.
폭군의 영역	• 증오와 권력을 동시에 지님. • 히틀러와 스탈린 같은 독재자가 이에 속함.
5 ☐☐☐의 영역	• 자유에 대한 갈망과 억압에 대한 증오를 동시에 지님. • 폭력적인 방법으로 독재에 맞서는 반대파가 이에 속함.

01 보기 의 밑줄 친 부분이 가리키는 것으로 적절한 것은?

보기

벨라비스타는 인간이 두 개의 서로 다른 성향에 의해 지배된다고 하였다. 그는 두 가지 성향 중 어느 것이 더 강하게 나타나는가에 따라 인간을 두 가지 인간형으로 나눌 수 있다고 하였다.

① 사랑의 인간형, 자유의 인간형
② 사랑의 인간형, 증오의 인간형
③ 사랑의 인간형, 복수의 인간형
④ 자유의 인간형, 권력의 인간형
⑤ 자유의 인간형, 증오의 인간형

독해 포인트 문제

02 ㉠과 ㉡에 대한 설명으로 적절하지 않은 것은?

① ㉠은 사랑을 갈구하는 성향을 지닌다.
② ㉠에게 사랑은 생존을 위한 필수 조건이다.
③ ㉡은 타인과의 관계를 지키려는 성향이 강하다.
④ ㉡에게 자유는 평화로운 공간과 새로운 환경에 대한 욕구이다.
⑤ 한 명의 사람이 ㉠으로 분류되는 동시에 ㉡으로도 분류될 수 있다.

03 보기 의 '준우'는 벨라비스타 이론에 따라 구분한 네 영역 중 어디에 속하는지 두 단어로 쓰시오.

보기

준우와 우진이는 단짝이다. 준우는 우진이가 너무 좋아서 우진이가 다른 친구와 친하게 지내는 것이 싫다. 준우는 우진이가 자기하고만 친하게 지내고, 자기 말만 들었으면 좋겠다.

[04~05] 보기는 '벨라비스타 이론'을 그래프로 나타낸 것이다. 그래프를 보고, 물음에 답하시오.

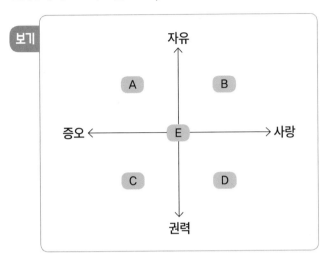

보기

04 A~E 중, '현자의 영역'이 있는 곳으로 적절한 것은?

① A   ② B   ③ C
④ D   ⑤ E

독해 포인트 문제

05 이 글을 바탕으로 보기를 이해할 때, 그 내용으로 적절하지 않은 것은?

① A 영역의 사람은 자유에 대한 갈망과 억압에 대한 증오를 함께 갖고 있겠군.
② B 영역의 사람은 상대를 사랑하면서도 억압하지 않겠군.
③ C 영역에는 히틀러와 스탈린 같은 인물들이 포함되겠군.
④ D 영역의 사람은 상대를 자신의 지배하에 두려는 성향을 보이겠군.
⑤ E 영역의 사람은 모든 성향의 중간에 있으므로 인품이 가장 훌륭하겠군.

06 두 어휘의 관계가 ⓐ : ⓑ의 관계와 유사한 것은?

① 전쟁 : 평화
② 굵다 : 가늘다
③ 동물 : 코끼리
④ 희망적 : 절망적
⑤ 의지하다 : 의존하다

완벽 마스터 문제

07 이 글의 내용으로 알 수 없는 것은?

① 인간의 성향은 절대로 변하지 않는다.

> 이 글에서는 인간의 [❶   ]을 몇 개의 유형으로 나눈 후 그 특징에 대해서만 설명하고 있다.

② 사랑은 증오와, 자유는 권력과 서로 반대된다.

> 4문단에서 [❷   ]과 자유로 된 좌표축에서 좌표의 축을 왼쪽과 아래쪽으로 확장하여 네 가지 영역을 구분한다고 하였다.

③ 벨라비스타 이론은 인간의 이중적인 면을 설명할 수 있다.

> 5문단에서 [❸   ]인 것처럼 보이는 증오와 자유가 공존할 수도 있다면서, 이중적으로 보이는 사람의 행동을 설명할 수 있다고 하였다.

④ 인간의 성향은 사랑과 증오, 자유와 권력이 복합적으로 나타난다.

> 4문단과 5문단에서 인간의 성향을 네 가지 영역으로 나누어 각 영역에 속하는 사람들의 특징을 살펴보고 있다.

⑤ 벨라비스타 이론은 사랑과 자유를 추구하는 성향을 모두 긍정적으로 본다.

> 3문단에서 사랑과 자유를 반대로 보지 않고 가로와 세로로 만나는 긍정적인 축 위에 표시한다고 하였다.

7문제 중에
_____ 문제 맞혔어!

14

무의식이 반영되는 착오 행위

이번에 읽을 글은 착각과 실수의 원인을 심리학의 관점에서 설명하고 있어.
글을 읽기 전에 어휘를 미리 알아 두면 글을 이해하는 데 도움이 될 거야.

읽기 전
어휘 체크

○ 본심

○ 산물

○ 착오

○ 석상

○ 심리학자

○ 치부하다

○ 대립하다

01 한자를 통해 뜻 추측하기

다음 한자를 보고 각 어휘의 뜻을 추측하시오.

본심	산물	착오	석상	심리학자
本 원래　본 心 마음　심	産 생기다　산 物 사물　물	錯 어긋나다 착 誤 잘못하다 오	席 자리　석 上 위, 앞　상	心 마음　심 理 이치　리 學 학문　학 者 사람　자
①	②	③	④	⑤

ㄱ	ㄴ	ㄷ	ㄹ	ㅁ
꾸밈이나 거짓이 없는 참마음.	마음의 작용과 의식 상태를 다루는 학문인 심리학을 연구하는 사람.	착각을 하여 잘못함. 또는 그런 잘못.	어떤 것에 의하여 생겨나는 사물이나 현상을 비유적으로 이르는 말.	누구와 마주한 자리. 또는 여러 사람이 모인 자리.

02 문장을 통해 추측하기

다음 문장에 공통으로 쓰인 '치부하다'의 뜻을 추측하시오.

> - 우리는 더 이상 그를 겁쟁이로 **치부하지** 않기로 하였다.
> - 작은 증상을 별것 아닌 일이라고 **치부하면** 큰 병을 막지 못할 수도 있다.
> - 나는 그동안 했던 실패를 모두 과거의 일로 **치부하고** 새로 시작하기로 마음먹었다.

① 마음속으로 그러하다고 보거나 여기다.
② 그렇지 않다고 단정하거나 옳지 않다고 반대하다.
③ 다른 사람들을 볼 낯이 없거나 스스로 떳떳하지 못한 느낌이 있다.

03 자료를 통해 뜻 추측하기

다음을 보고 '대립하다'의 뜻을 추측하시오.

> 댐을 건설하려는 기관과 댐 건설을
> 반대하는 환경 단체가 강하게 대립하고 있다.

① 생각, 체계, 조직을 굳게 서게 하다.
② 어떤 일이나 사태에 맞추어 태도나 행동을 취하다.
③ 의견이나 처지, 속성 등이 서로 정반대로 맞서거나 서로 어긋나다.

> 지금 배운 어휘들은 이어질 글에 **표시**해 두었어.
> 어휘의 뜻을 떠올리며 글을 읽어 보자.

14
무의식이
반영되는
착오 행위

이 글을 읽기 전에 먼저
이 글의 독해 포인트 를 확인해 보자!

독해 포인트

 1 착오 행위란 무엇인가?

 2 착오 행위와 무의식의 관계는
어떠한가?

#1문단 **착오** 행위란 의식하지 못하는 상태에서 자신의 ¹의도와는 다른 행위를 하게 되는 현상을 말한다. 무언가를 말하려고 했다가 엉뚱한 다른 말을 하게 되는 말하기 착오, 책에 쓰인 글자를 잘못 읽게 되는 읽기 착오, 쓰려고 했던 단어가 아닌 다른 단어를 쓰게 되는 쓰기 착오, 잘 아는 사람의 이름이나 물건을 둔 곳을 잊어버리는 건망증 등이 착오 행위에 속한다. 우리는 이런 일을 겪으면 대개 단순한 실수로 **치부해** 버린다. 그러나 **심리학자** 프로이트는 사소해 보이는 이런 행위의 원인을 파고들어 ²무의식의 세계를 밝혀냈다.

#2문단 프로이트는 자신이 한 회의 **석상**에서 겪은 일을 착오 행위의 예로 들었다. 회의의 시작을 알리려고 ³단상에 선 사회자가 "지금부터 회의를 시작하겠습니다."라고 해야 할 부분에서 "지금부터 회의를 ⓐ마치겠습니다."라고 잘못 말했다. 회의에 참석한 사람들은 사회자의 단순한 실수로 생각하여 회의는 별 무리 없이 마무리됐다. 그러나 회의가 끝난 후에 프로이트가 사회자에게 사정을 물어보자, 그는 당시에 이 회의를 빨리 끝내고 집으로 돌아가고 싶은 마음이 컸다고 **본심**을 밝혔다. ㉠이 사례처럼 착오 행위는 어떤 의식적인 의도가 그에 **대립하는** 무의식적인 의도의 방해를 받을 때 쉽게 발생한다. 위의 사회자의 경우는 '회의를 시작하겠습니다.'라는 의식적인 말에 '회의를 빨리 끝내고 집으로 돌아가고 싶다.'라는 본심이 배어 나와 말실수를 하게 된 셈이다.

어휘 태그

1 **의도** 어떤 일을 하고자 하는 마음속의 생각이나 계획.
2 **무의식** 자기 자신을 의식하는 상태가 아닌 의식의 상태.
3 **단상** 연설이나 발표를 할 때 올라서는 연단이나 교단의 위.

#3문단 착오 행위와 무의식의 관계를 보여 주는 또 다른 사례도 있다. 프로이트를 찾아온 한 남자는 아내와 사이가 좋지 않았다. 어느 날 아내가 남자에게 책을 한 권 선물했는데, 그 남자는 선물 받은 책을 어디에 두었는지 도무지 떠올릴 수 없었다. 그러던 어느 날 남자의 어머니가 [4]중병에 걸렸는데, 아내가 시어머니를 [5]지극정성으로 돌보자 남자는 감동을 받았다. 그날 남자는 그렇게 찾아도 보이지 않던 책을 서랍 속에서 쉽게 발견했다. 아내를 싫어하던 마음이 없어지자, 아내와 관련된 물건을 잊어버린 건망증도 사라진 것이다. ⓒ이 사례는 착오 행위를 일으키는 무의식적 [6]원인이 사라지면, 착오 행위도 나타나지 않음을 보여 준다. 결국 착오 행위는 무의식의 **산물**인 것이다.

#4문단 착오 행위는 결코 무의미한 실수가 아니라 그 자체가 어떤 뚜렷한 [7]동기와 의미를 가지고 있는 심리적 행위이다. 프로이트는 정신세계에서는 모든 것이 서로 연관되어 있다고 생각했다. 그래서 그는 착오 행위와 같은 인간의 사소한 행위도 무시하지 않고 진지한 탐구의 대상으로 삼은 결과, 무의식의 존재를 밝혀낼 수 있었다.

#문단별
핵심 태그

1문단
의식하지 못하는 상태에서 자신의 의도와 다른 행위를 하는 현상인
#

2문단
착오 행위의 사례 ① − 회의 시작을 알리는 대신 마치겠다고 말한 #

3문단
착오 행위의 사례 ② −
아내가 준 # 을 어디에 두었는지 잊어버린 남편

4문단
착오 행위를 탐구하여 인간의 # 의 존재를 밝혀낸 프로이트

어휘 태그

4 **중병** 목숨이 위태로울 정도로 몹시 앓는 병.
5 **지극정성** 어떤 대상에 대하여 온갖 힘을 다하려는 참되고 성실한 마음이 더할 수 없을 정도임.
6 **원인** 어떤 사물이나 상태를 변화시키거나 일으키게 하는 근본이 된 일이나 사건.
7 **동기** 어떤 일이나 행동을 일으키게 하는 결정적인 원인이나 기회.

확인하기

1 착오 행위의 의미와 종류

의미	• 의식하지 못하는 상태에서 자신의 **1**［　　］와는 다른 행위를 하게 되는 현상 • 동기와 의미가 있는 심리적 행위
종류	• 말하기 착오: 하려던 말이 아닌 엉뚱한 다른 말을 함. • 읽기 착오: 책에 쓰인 글자를 잘못 읽음. • 쓰기 착오: 쓰려고 했던 단어가 아닌 다른 단어를 씀. • **2**［　　　］: 잘 아는 사람의 이름이나 물건 둔 곳을 잊어버림.

2 착오 행위와 무의식의 관계

착오 행위의 사례	무의식과의 관계
회의를 빨리 끝내고 집으로 돌아가고 싶은 마음에 회의 시작을 알리는 대신 마치겠다고 말한 사회자	어떤 의식적인 의도가 그에 대립하는 무의식적인 의도의 **3**［　　］를 받을 때 착오 행위가 발생함.
아내를 싫어하던 마음이 없어지자 아내와 관련된 물건을 잊어버리는 건망증이 사라진 남편	착오 행위를 일으키는 무의식적 **4**［　　］이 사라지면 착오 행위는 나타나지 않음.

01 다음 사례는 '착오 행위'의 종류 중 어디에 해당하는지 각각 쓰시오.

(1) 방학 숙제로 일기를 쓰다가 '그러나'라고 쓰려고 했는데 '그너라'라고 썼다.

　➡ ［　　　　　　　　　　］

(2) 가게 문을 닫을 시간에 들어온 손님에게 "어서 오세요."라고 말한다는 것이 "안녕히 가세요."라고 말했다.

　➡ ［　　　　　　　　　　］

(3) 친구와 좋아하는 드라마의 캐스팅이 마음에 들지 않는다는 이야기를 하는데, 갑자기 여주인공의 이름이 기억이 나지 않았다.

　➡ ［　　　　　　　　　　］

(4) 인터넷으로 기사를 읽다가 내용과 어울리지 않는 단어가 나와서 이상하다고 생각했는데, 알고 보니 단어를 잘못 읽은 것이었다.

　➡ ［　　　　　　　　　　］

02 '착오 행위'에 대한 설명으로 적절하지 <u>않은</u> 것은?

① 어떤 뚜렷한 동기와 의미를 가지고 있는 심리적 행위이다.

② 의식적인 의도가 무의식적인 의도의 방해를 받을 때 발생한다.

③ 착오 행위를 일으키는 원인이 사라져도 착오 행위는 사라지지 않는다.

④ 착오 행위와 무의식의 관계로 보아 착오 행위는 결국 무의식의 산물이다.

⑤ 의식하지 못하는 상태에서 자신의 의도와 다른 행위를 하게 되는 현상이다.

03 #2문단에 나타난 사회자의 실수는 '착오 행위'의 종류 중 어떤 것에 해당하는지 쓰시오.

_____

06 ⓐ와 바꾸어 쓰기에 적절하지 않은 것은?

① 열겠습니다   ② 끝내겠습니다
③ 파하겠습니다   ④ 종료하겠습니다
⑤ 마감하겠습니다

독해 포인트 문제

04 ㉠과 ㉡을 비교한 내용으로 가장 적절한 것은?

① ㉠과 ㉡은 모두 무의미한 실수에 불과하다.
② ㉠은 의식적인 의도가, ㉡은 무의식적인 의도가 착오 행위의 원인이 되었다.
③ ㉠은 프로이트가 전해 들은 이야기이지만, ㉡은 프로이트가 직접 겪은 일이다.
④ ㉠은 착오 행위가 발생한 상황이지만, ㉡은 착오 행위가 발생했다가 사라진 상황이다.
⑤ ㉠에서 착오 행위를 보인 사람은 '사회자'이고, ㉡에서 착오 행위를 보인 사람은 '아내'이다.

완벽 마스터 문제

07 이 글을 바탕으로 '프로이트'를 이해한 내용으로 가장 적절한 것은?

① 동물에게도 착오 행위가 일어난다고 보았다.

이 글에서는 프로이트가 인간의 [❶   ] 행위를 어떻게 설명하고 있는지만을 알 수 있다.

② 자신의 착오 행위를 바탕으로 이론을 만들었다.

프로이트는 회의 석상에서 자신이 겪은 일, 자신을 찾아온 남자의 사례를 통해 착오 행위를 연구하였다.

③ 인간에게 무의식이 존재하지 않음을 증명하였다.

1, 4 문단에서 프로이트가 착오 행위의 원인을 탐구해서 [❷   ]의 존재를 밝혀냈다고 하였다.

④ 정신세계에서는 모든 것이 서로 연관되어 있다고 생각하였다.

4문단에서 프로이트가 정신세계에서는 모든 것이 연관되어 있다고 생각하여 착오 행위를 심리적 행위로 연구하였음을 알 수 있다.

05 '착오 행위'의 사례로 가장 적절한 것은?

① 하윤이는 단짝이었던 친구의 전화번호를 몇 년이 흐른 지금도 기억하고 있다.
② 효주는 어릴 적 성냥으로 불장난을 하다가 크게 놀란 이후로 성냥은 거들떠 보지도 않는다.
③ 민성이는 주목받으면 말을 더듬는 버릇이 있어서 회의나 발표 자리에서는 거의 이야기를 하지 않는다.
④ 늘 부모님이 결정해 주신 대로만 해 왔던 서준이는 자기가 앞으로 무엇을 해야 하는지를 몰라서 고민 중이다.
⑤ 지예는 친구 수아가 맡긴 물건을 어디에 보관했는지 자주 잊어버리는데, 지예는 평소 수아가 자신을 얕본다고 생각한다.

⑤ 사소한 행위를 탐구하여 이론으로 만드는 것은 무의미하다고 보았다.

4문단에서 프로이트는 착오 행위 같은 사소한 행위도 단순한 [❸   ]로 치부하지 않고 진지하게 탐구해서 무의식의 존재를 밝힐 수 있었다고 하였다.

7문제 중에
_____ 문제 맞혔어!

15 역사를 연구하는 두 가지 방법

이번에 읽을 글은 거시사 연구와 미시사 연구에 대해 설명하고 있어.
글을 읽기 전에 어휘를 미리 알아 두면 글을 이해하는 데 도움이 될 거야.

읽기 전
어휘 체크

○ 고의

○ 복원

○ 주목

○ 추적

○ 안목

○ 거시/미시

01 한자를 통해 뜻 추측하기

다음 한자를 보고 각 어휘의 뜻을 추측하시오.

고의		복원		주목		추적	
故 일부러	고	復 회복하다	복	注 모으다	주	追 쫓다	추
意 생각	의	元 처음	원	目 눈	목	跡 자취	적
①		②		③		④	

㉠	㉡	㉢	㉣
원래대로 돌이키거나 원래의 상태를 되찾음.	사물의 자취를 더듬어 감.	일부러 하는 생각이나 태도.	관심을 가지고 주의 깊게 살핌.

02 문장을 통해 추측하기

다음 문장에 공통으로 쓰인 '안목'의 뜻을 추측하시오.

> * 그 친구는 그림을 고르는 안목이 뛰어나다.
> * 예술에 대한 그의 안목은 듣던 대로 기가 막혔다.
> * 나는 봉사 활동을 통해 사회를 바라보는 안목을 넓힐 수 있었다.

① 가려서 따로 나눔.
② 물건이나 사람 됨됨이를 잘 헤아리는 눈.
③ 사물을 인식하여 논리나 기준 등에 따라 판정할 수 있는 능력.

03 한자를 통해 뜻 추측하기

다음을 보고 문장의 빈칸에 들어갈 알맞은 어휘를 차례대로 쓰시오.

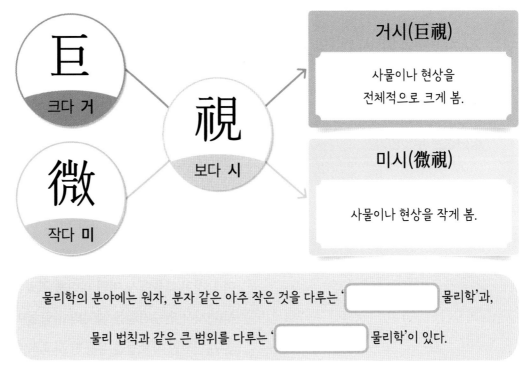

거시(巨視)

사물이나 현상을
전체적으로 크게 봄.

미시(微視)

사물이나 현상을 작게 봄.

물리학의 분야에는 원자, 분자 같은 아주 작은 것을 다루는 '⬚⬚⬚⬚⬚ 물리학'과, 물리 법칙과 같은 큰 범위를 다루는 '⬚⬚⬚⬚⬚ 물리학'이 있다.

> 지금 배운 어휘들은 이어질 글에 **표**시해 두었어.
> 어휘의 뜻을 떠올리며 글을 읽어 보자.

15
역사를 연구하는 두 가지 방법

이 글을 읽기 전에 먼저
이 글의 독해 포인트 를 확인해 보자!

독해 포인트

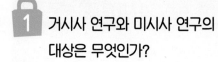
1 거시사 연구와 미시사 연구의 대상은 무엇인가?

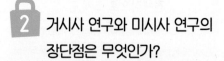
2 거시사 연구와 미시사 연구의 장단점은 무엇인가?

#가 역사 연구는 역사 연구를 통해서 서술하고자 하는 대상이 무엇이냐에 따라 ㉠거시사 연구와 ㉡미시사 연구로 나눌 수 있다. 거시사 연구는 정치, 경제, 사회의 전체적인 구조를 연구하여 역사를 서술한다. 예컨대 국가나 왕조의 정치적 변화와 국가 규모의 경제·문화적 요소들을 서술의 대상으로 삼는다. 반면 미시사 연구는 주로 개인들의 구체적인 삶을 연구하여 역사를 서술한다. 즉 한 지역의 사건 또는 어떤 한 인물의 행적을 서술의 대상으로 삼는 것이다.

#나 거시사 연구는 역사를 이루는 큰 틀을 중시하여 국가의 [1]흥망이나 장기간에 걸친 정치, 경제, 사회의 변화 등에 관심을 가진다. 그렇기 때문에 거시사 연구자들이 중요하게 여기는 [2]사료는 정부 문서와 같은 공식 기록들이다. 거시사 연구자들은 이러한 자료에서 얻은 사실을 일반화하고, 이를 역사적 이론으로 체계화한다. 이때 이론에 ⓐ들어맞지 않는 개별적인 현상은 무시된다.

#다 미시사 연구는 거시사 연구와 달리 사회 전체의 구조보다는 그 속에서 실제로 생활했던 개인의 구체적인 삶에 **주목**한다. 미시사 연구는 역사 속에 존재했지만 거시사 연구에서 중요하게 보지 않았던 평범한 사람들의 삶을 **추적**하여 당시 사회적 분위기나 생활 모습을 해석하고자 한다. 미시사 연구자들은 평범한 이들의 [3]의식주, 노동과 [4]여가 생활 같은 일상이 어떻게 이루어졌으며 그것이 그들에게 어떤 의미를 지녔는지에 관심을 가진다. 따라서 미시사 연구자들은 과거의 사람들이 남긴 수첩이나 일기와 같은 개인적인 자료들을 유용한 사료로 여긴다.

어휘 태그

1 **흥망** 잘되어 일어남과 못되어 없어짐.
2 **사료** 역사 연구에 필요한 문헌이나 유물. 문서, 기록, 건축, 조각 등을 이른다.
3 **의식주** 옷과 음식과 집을 통틀어 이르는 말. 인간 생활의 세 가지 기본 요소이다.
4 **여가** 일이 없어 남는 시간.

#라 독일의 역사학자 포이케르트는 일기, 사진, 비밀경찰의 [5]첩보 보고서 등을 바탕으로, 제이 차 세계 대전 때 [6]나치의 군대 물품을 생산하는 공장에서 일했던 노동자들의 생활을 연구했다. 일반적으로 사람들은 당시 독일 노동자들이 전쟁을 일으킨 나치에 협조적이었다고 생각한다. 그러나 포이케르트는 당시 [7]군수 공장에서 노동자들의 지각, 결근, [8]태업이 유난히 많았고, 생산물에 불량품도 많이 발생했다는 사실을 보고, 노동자들이 나치에 저항하기 위해 **고의**로 그러한 일을 행했다는 것을 밝혀냈다. 이러한 포이케르트의 연구 결과는 거시사 연구자들의 연구 방법으로는 알아내기 힘든 것이었다.

#마 거시사 연구는 딱딱한 이론 형태로 역사를 진술하여 역사를 대중으로부터 멀어지게 만드는 문제점도 있지만, 역사를 구조적인 측면에서 체계적으로 파악할 수 있게 해 준다는 장점이 있다. 반면 미시사 연구는 역사를 체계적으로 살펴볼 수 있는 **안목**을 제공하기 어렵다는 점에서 한계가 있지만, 개인들의 삶을 이야기 형식으로 생생하게 **복원**해 내어 대중으로 하여금 역사의 역동성과 구체성을 느낄 수 있게 해 준다. 이러한 점에서 볼 때 역사의 전체적인 모습을 파악하기 위해서는 거시사 연구와 미시사 연구가 상호 보완적인 관계를 이루는 것이 바람직하다.

#문단별 핵심 태그

가 역사 연구의 분류 – 서술 대상에 따라 **#** 연구와 미시사 연구로 나뉨

나 거시사 연구의 사료 – **#** 문서와 같은 공식 기록들

다 미시사 연구의 사료 – 수첩, **#** 와 같은 개인적인 자료들

라 **#** 연구의 사례 – 제이 차 세계 대전 당시 군수 공장에서 일하던 노동자들

마 두 역사 연구 방법의 장단점 및 **#** 연구를 위한 바람직한 관계

어휘 태그

5 **첩보** 상대편의 정보나 형편을 몰래 알아내어 보고함. 또는 그런 보고.
6 **나치(nazi)** 히틀러를 우두머리로 한 독일의 정당. 1939년에 제이 차 세계 대전을 일으켰다.
7 **군수 공장** 군대를 유지하고 전쟁을 하는 데 필요한 물품을 생산하고 수리하는 공장.
8 **태업** 겉으로는 일을 하지만 의도적으로 일을 게을리함으로써 사용자에게 손해를 주는 방법.

15 역사를 연구하는 두 가지 방법

지문의 난이도는 어땠어?

1 거시사 연구와 미시사 연구

거시사 연구

대상	정치, 경제, 사회의 전체적 **1**
사료	정부 문서와 같은 **2**　　 기록들

↕

미시사 연구

대상	개인의 구체적인 삶
사료	과거 사람들의 수첩이나 **3**　　 와 같은 개인적 자료들

2 거시사 연구와 미시사 연구의 장단점

	거시사 연구	미시사 연구
장점	역사를 구조적인 측면에서 체계적으로 파악할 수 있게 함.	대중으로 하여금 역사의 역동성과 구체성을 느끼게 함.
단점	**4**　　 형태의 딱딱한 진술로 역사를 대중으로부터 멀어지게 만듦.	역사를 체계적으로 살피는 안목을 제공하기 어려움.

01 각 문단의 중심 내용을 잘못 말한 것은?

① #가 : 역사 연구의 두 가지 방법
② #나 : 거시사 연구의 특징
③ #다 : 미시사 연구의 특징
④ #라 : 미시사 연구의 구체적 사례
⑤ #마 : 거시사 연구의 구체적 사례

독해 포인트 문제

02 '거시사 연구'와 '미시사 연구'에 대한 이해로 적절하지 않은 것은?

① 거시사 연구는 정부 문서와 같은 공식 기록을 중요한 사료로 본다.
② 거시사 연구는 정치, 경제, 사회의 전체 구조를 연구 대상으로 삼는다.
③ 거시사 연구는 과거의 평범한 사람들의 삶의 모습에서 사회적 분위기를 해석한다.
④ 미시사 연구는 사회 구조 안에서 실제로 생활했던 개인의 삶을 연구 대상으로 삼는다.
⑤ 거시사 연구 방법으로는 알아내기 힘든 내용을 미시사 연구를 통해 밝혀낸 경우도 있다.

03 다음은 역사 연구에 대한 글쓴이의 생각이다. 빈칸에 들어갈 말로 적절한 것은?

> 보기
>
> 거시사 연구와 미시사 연구는 서로 　　　 인 관계를 이루는 것이 바람직하다.

① 경쟁적　　　　② 독립적
③ 대조적　　　　④ 종속적
⑤ 보완적

04 ㉠과 ㉡의 장단점을 비교한 내용으로 적절하지 않은 것은?

① ㉠은 ㉡과 달리, 딱딱한 이론 형태로 역사를 진술한다.

② ㉠은 ㉡과 달리, 역사를 구조적인 측면에서 파악할 수 있다.

③ ㉡은 ㉠과 달리, 대중이 역사를 가깝게 느끼도록 만들어 준다.

④ ㉡은 ㉠과 달리, 역사적 이론으로 설명할 수 없는 개별적 현상은 무시한다.

⑤ ㉡은 ㉠과 달리, 개인의 삶을 이야기 형식으로 복원해 역사의 구체성을 느끼게 해 준다.

05 보기의 역사 연구에 대한 반응으로 적절하지 않은 것은?

> 보기
> 육이오 전쟁이라는 급박했던 전란의 상황을 사실적으로 그려 낸 일기를 통해 육이오 전쟁이 일어난 때의 사람들의 반응, 전쟁에 대한 신문 보도, 정부의 태도, 피란민들의 생활상 등을 알아본다.

① 사료가 일기인 것을 보니 미시사 연구로 볼 수 있겠군.

② 육이오 전쟁의 전개 과정 전체를 체계적으로 알 수 있겠군.

③ 육이오 전쟁 당시 사회적 분위기나 생활 모습을 파악할 수 있겠군.

④ 육이오 전쟁 속 피란민들은 국가 단위의 역사 연구에서는 주목받지 못했겠군.

⑤ 육이오 전쟁 보도가 당시 사람들에게 어떤 의미로 받아들여졌는지 살펴볼 수 있겠군.

06 ⓐ를 사용한 예문으로 적절하지 않은 것은?

① 추측이었는데 들어맞아서 다행이다.

② 꿈이 들어맞았는지 만 원을 주웠어.

③ 그가 오리라는 내 예상이 들어맞았다.

④ 네 말은 앞뒤가 빈틈없이 들어맞는구나.

⑤ 왜 천 원이 모자라지? 계산이 들어맞았나 봐.

07 이 글의 내용과 일치하는 것은?

① 거시사에서는 한 지역의 사건을 연구한다.

> (가)에서 한 지역의 사건 또는 한 인물의 행적을 연구하는 것은 [❶   ] 연구라고 하였다.

② 거시사 연구와 미시사 연구의 대상은 같다.

> (가)에서 역사 연구는 역사 연구를 통해서 서술하고자 하는 대상에 따라 나눌 수 있다고 하였다.

③ 역사의 전체 모습을 보는 것은 불가능하다.

> (마)에서 글쓴이는 역사의 전체적인 모습을 보기 위한 [❷   ] 연구와 미시사 연구의 바람직한 관계를 제시하고 있다.

④ 거시사 연구는 역사를 이루는 큰 구조를 중시한다.

> (나)에서 거시사 연구는 [❸   ]의 흥망이나 장기간에 걸친 변화 등에 관심을 가진다고 하였다.

⑤ 제이 차 세계 대전 당시 독일의 노동자들은 나치에 협조적이었다.

> (라)에서 당시 군수 공장에 다니던 노동자들은 지각, 결근, 태업이 유난히 많았다고 하였다.

7문제 중에 _____ 문제 맞혔어!

16

앎과 실천의 관계를 논하다

이번에 읽을 글은 앎과 실천의 관계를 다룬 조선의 지행론을 설명하고 있어.
글을 읽기 전에 어휘를 미리 알아 두면 글을 이해하는 데 도움이 될 거야.

읽기 전 어휘 체크

○ 수양

○ 대처

○ 확충

○ 전제

○ 피폐하다

○ 풍요롭다

01 한자를 통해 뜻 추측하기

다음 한자를 보고 각 어휘의 뜻을 추측하시오.

수양			대처			확충			전제		
修 닦다	수		對 대하다	대		擴 넓히다	확		前 앞	전	
養 기르다	양		處 곳, 때	처		充 채우다	충		提 제시하다	제	
①			②			③			④		

ㄱ	ㄴ	ㄷ	ㄹ
어떤 일의 형편이나 사건에 대하여 알맞은 조치를 취함.	늘리고 넓혀 충실하게 함.	어떠한 사물이나 현상을 이루기 위하여 먼저 내세우는 것.	몸과 마음을 갈고닦아 품성이나 지식, 도덕을 높은 수준으로 끌어올림.

02 문장을 통해 뜻 추측하기

다음 문장에 공통으로 쓰인 '피폐하다'의 뜻을 추측하시오.

> - 우리는 쉬지도 못하고 일만 하여 몸도 마음도 피폐한 상태이다.
> - 오랜 굶주림으로 소녀의 몸은 말랐고, 얼굴은 피폐한 모습이었다.
> - 전쟁으로 피폐했던 우리나라가 이렇게 발전할 줄은 누구도 예측하지 못했다.

① 지치고 쇠약하여지다.
② 해 오던 일을 도중에 그만두다.
③ 몸이나 팔다리가 몹시 가늘고 연약하다.

03 자료를 통해 뜻 추측하기

다음을 보고 '풍요롭다'의 뜻을 추측하시오.

올해는 농사가 잘 되어서
풍요로운 들판을 볼 수
있을 것이다.

① 식물을 심어 가꾸다.
② 흠뻑 많아서 넉넉함이 있다.
③ 막힌 데가 없어서 트이고 넓다.

> 지금 배운 어휘들은 이어질 글에 표시해 두었어.
> 어휘의 뜻을 떠올리며 글을 읽어 보자.

16
앎과 실천의
관계를 논하다

이 글을 읽기 전에 먼저
이 글의 [독해 포인트] 를 확인해 보자!

독해 포인트

1 조선 시대 학자들의 지행론은
어떠한가?

2 학자들마다 지행론에 대한
입장이 다른 이유는 무엇인가?

#가 조선의 ¹성리학자들은 '세계를 어떻게 바라보고, 자신이 추구하는 삶을 어떻게 실제로 이룰 것인가' 하는 고민을 끊임없이 해 왔다. 그래서 그들은 '앎'을 뜻하는 '지(知)'와 '실천'을 뜻하는 '행(行)'의 관계를 다루는 지행론에 깊은 관심을 기울였다. 기본적으로 성리학자들은 지와 행이 어느 한쪽으로 치우치지 않고 서로 보완하며 함께 나아가야 한다는 ㉠'지행병진'의 입장을 취했다.

#나 18세기에 들어 일부 ²실학자들은 앎과 실천의 관계를 다룬 지행론에 대해 새롭게 접근했다. 홍대용은 '지행병진'을 **전제**하면서도, 도덕적 **수양** 외에 사회적 실천의 측면에서 행을 바라보았다. 그는 ³이용후생을 강조하며 백성들의 경제와 의식주 생활을 **풍요롭게** 하는 데 관심을 기울였다. 그에게 지는 도덕 법칙만이 아닌 실용적인 지식을 포함하는 것이었으며, 행이 지보다 더욱 중요한 것이었다.

#다 19세기 학자 최한기는 본격적으로 지행론을 변화시켰다. 그는 행을 ⁴생리 반응, 감각 활동, 윤리 행동을 포함하는 모든 경험으로 이해하고, 지를 경험을 통해 얻어지는 객관적인 지식으로 보았다. 그는 태어나면서부터 갖고 있는 지식이 따로 없고 모든 지식은 경험을 통해 나온다고 보았다. 따라서 행을 통해 지가 **확충**된다는 ㉡'선행후지'를 제시하고, 행이 지보다 우선적인 것임을 강조했다.

어휘 태그

1 성리학자 조선 시대에, 유학의 한 갈래인 성리학을 공부하고 연구하는 사람.
2 실학자 조선 시대에, 정통적 유학에서 벗어나 실생활의 유익을 목표로 한 새로운 학문인 실학을 공부하고 연구하는 사람.
3 이용후생 기구를 편리하게 쓰고 먹을 것과 입을 것을 넉넉하게 하여, 국민의 생활을 나아지게 함.
4 생리 생물체의 생물학적 기능과 작용. 또는 그 원리.

#라 최한기에게 지와 행의 대상은 인간·사회·자연을 포함하는 것이다. 나아가 최한기는 행, 즉 실천을 통해 앎, 즉 지가 확충되고, 이에 그치지 않고 확충된 앎을 통해 새로운 실천을 하며, 그 새로운 실천을 통해 기존의 앎을 [5]검증할 수 있다는 이전과는 [6]차별화된 이론을 제시하였다. 이렇게 그가 경험으로서의 행을 중시한 것은 자연 세계에는 일정한 원리가 있지만 인간 세계의 원리는 일정하지 않다고 보았기 때문이다. 그래서 그는 자연을 탐구하여 자연 세계의 원리를 인식함으로써 인간 세계의 원리가 성립되고, 이 인간 세계의 원리에서 인간의 도덕이 나온다고 보았다.

#마 이러한 서로 다른 지행론은 각 학자들의 학문 목표와 관련이 있다. 성리학자들은 모든 사물의 [7]이치가 마음에 본래 갖추어져 있다고 여겼기에 도덕적 수양을 통해 그 이치를 찾으려 했다. 그러나 실학자들은 **피폐한** 사회 현실을 [8]개혁하고자 하는 학문적 문제의식을 가지고 있었다. 특히 최한기가 행을 앞세운 것은 변화하는 세계의 본질을 경험적으로 파악하여 빠르게 바뀌는 시대에 @**대처**하려는 것이었다.

#문단별
핵심 태그

가 — 조선 성리학자들의 지행론 — # 와 행이 함께 나아가야 한다는 지행병진

나 — 18세기 실학자 홍대용의 # — 지행병진을 전제하나 행이 지보다 중요함

다 — 19세기 학자 최한기의 지행론 ① — # 로 행을 지보다 우선시함

라 — 19세기 학자 최한기의 지행론 ② — 행(#)을 통해 지(앎)가 확충된다고 봄

마 — 학자들의 학문 목표에 따라 서로 다른 # 의 변화 과정

어휘 태그

5 **검증할** 사실, 일의 상태 등을 조사하여 옳고 그름이나 낫고 못함을 판단하여, 그것이 진실인지 아닌지 증거를 들어서 밝힘.
6 **차별화된** 둘 이상의 대상이 각각 등급이나 수준의 차이가 두어져 구별된 상태가 된.
7 **이치** 사물의 정당한 원리와 법칙. 마땅히 따라야 하는 도리.
8 **개혁하고자** 제도나 기구를 새롭게 뜯어고치고자.

지문의 난이도는 어땠어?

1 조선 시대 학자들의 지행론

조선의 성리학자들	**1** [ ][ ][ ][ ] 의 입장으로 지와 행이 어느 한쪽으로 치우치지 않고 함께 나아가야 한다고 봄.
18세기 실학자 홍대용	• 지행병진을 전제함. • 사회적 실천의 측면에서 **2** [ ]을 강조하며 행을 지보다 중요시함.
19세기 학자 최한기	• **3** [ ][ ][ ][ ]의 입장 행을 통해 지가 확충된다고 봄. • 행을 통한 지의 확충 → 확충된 지를 통한 새로운 행 → 새로운 행을 통한 기존 지의 검증이라는 차별화된 이론을 주장함.

2 학자들마다 지행론에 대한 입장이 다른 이유

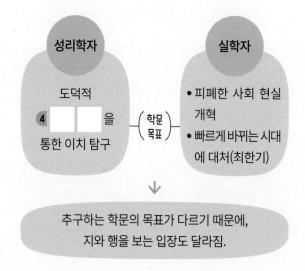

성리학자 — 도덕적 **4** [ ][ ]을 통한 이치 탐구 (학문 목표)

실학자 — • 피폐한 사회 현실 개혁 • 빠르게 바뀌는 시대에 대처(최한기)

↓

추구하는 학문의 목표가 다르기 때문에, 지와 행을 보는 입장도 달라짐.

01 이 글의 주제로 가장 적절한 것은?

① 지와 행의 개념과 한계
② 성리학자와 실학자의 정치적 대립
③ 앎을 실천하기 위한 실학자들의 노력
④ 조선 시대의 지행론이 오늘날 가지는 의미
⑤ 지행론을 둘러싼 학자들의 입장과 그 배경

02 '지행론'에 대한 조선 시대 학자들의 입장으로 적절하지 <u>않은</u> 것은?

① 홍대용과 최한기는 행보다 지를 우선시했다.
② 홍대용은 지를 실용적인 측면으로 확장하였다.
③ 최한기는 지식이 경험을 통해 나온다고 보았다.
④ 성리학자들은 학문의 목적이 도덕적 수양에 있다고 하였다.
⑤ 성리학자들은 만물의 이치가 마음에 이미 갖추어져 있다고 여겼다.

03 ㉠과 ㉡을 비교한 내용으로 가장 적절한 것은?

① ㉠은 ㉡과 달리, 실천을 앎보다 중요하게 여긴다.
② ㉠은 ㉡과 달리, 사회적 실천을 통해 지식을 쌓을 수 있다고 본다.
③ ㉡은 ㉠과 달리, 행이 지보다 우선적인 것임을 강조한다.
④ ㉡은 ㉠과 달리, 자연 세계의 원리보다 인간 세계의 원리를 중시한다.
⑤ ㉠과 ㉡은 둘 다 앎이 없으면 실천을 할 수 없다고 여긴다.

독해 포인트 문제

04 이 글을 참고할 때, 보기 의 빈칸에 들어갈 말로 가장 적절한 것은?

> 보기
>
> '지행론'에 대해 실학자들이 성리학자들과 다른 입장을 취한 이유는, 성리학자들과 달리 실학자들은 [   ]을/를 학문의 목표로 삼았기 때문이다.

① 과거 시대로의 복귀
② 진정한 지행론의 완성
③ 피폐한 사회 현실의 개혁
④ 자연 세계와 인간 세계의 통일
⑤ 도덕적 수양을 통한 이치 탐구

05 '최한기'의 입장에서 보기 를 평가한 내용으로 가장 적절한 것은?

> 보기
>
> 갓 태어난 아기는 말을 할 줄 모른다. 태어난 직후에는 몇 개의 어휘만을 써서 완전하지 않은 말을 하다가, 듣고 말하는 경험을 통해 더 많은 말을 익히고, 익힌 말을 실제로 쓰면서 몇 번의 시행착오를 거치면 완전한 말을 할 수 있게 된다.

① 아기는 선천적 지식을 가지고 태어남을 알 수 있다.
② 아기는 도덕적 수양을 통해 말하기의 이치를 깨닫는다.
③ 아기의 말 배우기는 지가 행에 우선적인 것임을 보여 준다.
④ 아기가 경험한 시행착오는 행에 의한 기존 지의 검증 과정이다.
⑤ 아기가 몇 개의 어휘만을 써서 말하는 것은 지를 통해 행을 확충한 것이다.

06 ⓐ와 바꾸어 쓸 수 있는 말로 적절한 것은?

① 대응하려는
② 기여하려는
③ 도달하려는
④ 동조하려는
⑤ 반대하려는

완벽 마스터 문제

07 각 문단에 대한 설명으로 적절하지 않은 것은?

① **#가** : 조선 시대 성리학자들의 지행론을 소개하고 있다.

> (가)에서 조선 시대 성리학자들은 지와 행이 함께 나아가야 한다는 지행병진의 입장을 취했다고 하였다.

② **#나** : 지행론에 대한 홍대용의 새로운 접근을 설명하고 있다.

> (나)에서 홍대용은 [❶   ]을 전제하면서도 사회적 측면에서 행을 바라보았다고 하였다.

③ **#다** : 최한기가 지행론을 어떻게 변화시켰는지 설명하고 있다.

> (다)에서 최한기는 행을 모든 경험으로 이해하고, 지를 경험을 통해 얻어지는 객관적인 지식으로 보았다고 하였다.

④ **#라** : 최한기의 지행론이 이전과 차별화된 이유를 구체적으로 제시하고 있다.

> (라)에서 최한기는 행(실천)과 지(앎)의 관계 및 기존 지의 [❷   ]이라는 이론을 제시하였다.

⑤ **#마** : 최한기의 지행론이 가장 뛰어난 이유를 설명하고 있다.

> (마)에서는 성리학자들과 실학자들이 서로 다른 지행론을 펼친 이유를 설명하고 있다.

7문제 중에
_____문제 맞혔어!

17 인상파, 느낌을 그리다

이번에 읽을 글은 인상파 회화에 나타나는 특징과 그 의의를 설명하고 있어.
글을 읽기 전에 어휘를 미리 알아 두면 글을 이해하는 데 도움이 될 거야.

**읽기 전
어휘 체크**

○ **인상**

○ **출품**

○ **구도**

○ **고안**

○ **엄격**

○ **비아냥대다**

○ **원근법**

01 한자를 통해 뜻 추측하기

다음 한자를 보고 각 어휘의 뜻을 추측하시오.

인상	출품	구도	고안	엄격
印 새기다 인 象 모양 상	出 내놓다 출 品 물건 품	構 얽다 구 圖 그림 도	考 생각하다 고 案 안건 안	嚴 엄하다 엄 格 격식 격
①	②	③	④	⑤

ㄱ	ㄴ	ㄷ	ㄹ	ㅁ
말, 태도, 규칙이 매우 엄하고 철저함. 또는 그런 품격.	전람회, 전시회, 박람회 등에 작품이나 물건을 내어놓음.	연구하여 새로운 안(사실, 생각, 계획)을 생각해 냄. 또는 그런 안.	어떤 대상에 대하여 마음속에 새겨지는 느낌.	그림에서 미적 효과를 얻기 위한 모양, 색깔, 위치 등의 짜임새.

02 문장을 통해 뜻 추측하기

다음 문장에 공통으로 쓰인 '비아냥대다'의 뜻을 추측하시오.

> - 뒤에서 몰래 **비아냥대지** 말고 저에게 직접 말하세요.
> - 사람들의 **비아냥대는** 말이 듣기 싫어 급히 자리를 피해 나왔다.
> - 그 연예인은 팬들의 댓글을 **비아냥대다** 결국 사과하는 일까지 있었다.

① 매우 칭찬하다.
② 의기양양하여 자꾸 뽐내다.
③ 얄밉게 빈정거리며 자꾸 놀리다.

03 자료를 통해 뜻 추측하기

다음을 보고 '원근법'의 뜻을 추측하시오.

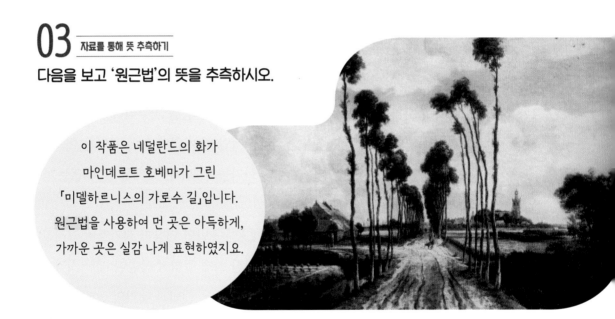

> 이 작품은 네덜란드의 화가
> 마인데르트 호베마가 그린
> 「미델하르니스의 가로수 길」입니다.
> 원근법을 사용하여 먼 곳은 아득하게,
> 가까운 곳은 실감 나게 표현하였지요.

① 작은 색점들을 찍어서 표현하는 화법.
② 한 가지 색상의 밝고 어두운 정도를 차이 나게 하여 입체감을 나타내는 기법.
③ 일정한 시점에서 본 물체와 공간을 눈으로 보는 것과 같이 멀고 가까움을 느낄 수 있도록 평면 위에 표현하는 방법.

> 지금 배운 어휘들은 이어질 글에 **표시**해 두었어.
> 어휘의 뜻을 떠올리며 글을 읽어 보자.

17
인상파,
느낌을 그리다

이 글을 읽기 전에 먼저
이 글의 독해 포인트 를 확인해 보자!

독해 포인트

1 인상파 이전의 화가들은
어떻게 그림을 그렸는가?

2 인상파 화가들은
어떻게 그림을 그렸는가?

#1문단 모네가 평범한 항구의 모습을 그린 「**인상**, 해돋이」라는 작품을 **출품**했을 당시, 미술계는 이 그림에 대해 [1]혹평뿐이었다. 특히 비평가인 루이 르루

▲ 모네, 「인상, 해돋이」

아는 모네, 그리고 모네와 같은 화풍을 가진 그의 동료들을 **비아냥대는** 의미로 모네의 작품명에서 그 이름을 따와 '인상파'라고 불렀다.

#2문단 ㉠인상파 이전의 19세기 화가들은 회화에 문학적 주제를 담으려고 했다. 그들은 배경지식 없이는 이해하기 어려운 특별한 사건이나 인물, 사상 등을 주제로 그림을 그렸다. 주제를 드러내는 상징적인 대상을 잘 짜인 **구도** 속에 배치한 후 윤곽선을 또렷하게 스케치하고 [2]정교하게 채색하여 오랫동안 **고안**하고 계획한 대로 그림을 마무리하였다. 그들의 입장에서 보면 대상을 의도적인 배치 없이 눈에 보이는 대로 거칠게 그린 듯한 ㉡인상파 화가들의 그림은 주제를 알 수 없는 ⓐ미완성 작품이었다.

#3문단 반면 인상파 화가들이 그리고자 한 것은 자연 풍경을 포함한 실제 물리적 상황에 대한 시각적 현상, 즉 대상의 인상이었다. 이들은 햇빛과 대기의 상태에 따라 대상의 색과 대상에 대한 인상이 달라진다는 사실에 주목하여 이를 그림으로 **표현**하였다. 인상파 화가들은 어두운 작업실을 박차고 야외로 나가 일상적인 풍경과 평범한 사람들의 모습을 [3]화폭에 담기 시작했다. 이들에게는 문학적 주제보다 눈앞의 대상을 화폭에 생생하게 담아내는 것이 더 중요한 문제였다.

어휘 태그

1 **혹평** 사물의 옳고 그름, 아름다움과 추함을 몹시 모질고 심하게 분석함.
2 **정교하게** 솜씨나 기술 등이 정밀하고 교묘하게.
3 **화폭** 그림을 그려 놓은 천이나 종이의 조각. 캔버스.

#4문단 인상파 화가들은 **엄격**한 구도, **원근법**, 명암법 등 기존에 중시되던 전통 회화의 표현 기법이 아닌, 새로운 기법으로 그림을 그렸다. 순간적으로 포착한 대상의 인상을 표현하기 위해 **빠른 속**도로 그림을 그렸는데, 그 결과 캔버스에는 짧고 거친 붓자국이 가득하게 되었다. 대상의 윤곽선 역시 주변의 색과 섞여 흐릿하게 표현되었는데, 이는 시시각각 다르게 보이는 대상의 미묘한 변화와 그 인상까지 표현되는 효과가 있었다. 또한 물감을 섞는 대신 서로 다른 원색을 캔버스 위에 직접 칠했는데, 이는 멀리서 볼 때 밝은 빛의 느낌을 자연스럽게 표현하기 위해서였다.

#5문단 인상파 화가들은 빛과 대상의 색, 그리고 대상이 주는 느낌을 그림의 주제로 삼으면서 그림이 다룰 수 있는 대상의 폭을 '주변에서 흔히 볼 수 있는 일상적인 풍경과 평범한 사람들의 모습'으로 넓혔다. 자연 풍경이 펼쳐진 야외에서, 사람들이 [4]북적대는 도심의 술집에서 일상을 [5]포착하여 보이는 그대로 표현한 것이다. 이전의 그림과 달리 인상파 화가들의 그림은 주제를 이해하기 위해 복잡한 배경지식이 필요하지 않았고 그저 눈으로 보고 느낄 수 있었다. 좀 더 많은 사람들이 눈으로 보고 즐기는 그림이 등장한 것이다.

#문단별 핵심 태그

1문단 출품 당시 혹평을 받은 모네의 작품명에서 이름을 따온 ' # '

2문단 회화에 # 주제를 담으려고 했던 인상파 이전의 19세기 화가들

3문단 인상파 회화의 특징 ① ― 대상의 # 을 그리고자 함

4문단 인상파 회화의 특징 ② ― 이전과 다른 새로운 # 으로 그림을 그림

5문단 인상파 회화의 의의 ― 그림이 다루는 # 과 감상자의 폭을 넓힘

107

어휘 태그

4 **북적대는** 많은 사람이 한곳에 모여 정신이 어지럽게 떠들거나 움직여 대는.
5 **포착하여** 어떤 기회나 일이 되어 가는 형편을 알아차려.

① 인상파 이전 회화의 특징

주제	배경지식 없이는 이해하기 어려운 특별한 사건이나 인물, 사상 등의 ①□□ 적 주제
표현 기법	• 대상을 잘 짜인 ②□□ 에 넣어 윤곽선을 또렷하게 스케치하고 정교하게 채색함. • 엄격한 구도, 원근법, 명암법 등을 중시함.

② 인상파 회화의 특징 및 의의

주제	③□ 과 대상의 색, 대상이 주는 느낌
표현 기법	• 빠른 속도로 그려 짧고 거친 붓자국이 남음. • 대상의 윤곽선을 흐릿하게 표현함. • 물감을 섞지 않고 ④□□ 을 직접 캔버스에 칠함.

↓

의의	• 그림이 다루는 대상의 폭을 넓힘. • 많은 사람들이 배경지식 없이 그림을 눈으로 보고 즐길 수 있게 됨.

01 이 글에서 확인할 수 있는 정보가 <u>아닌</u> 것은?

① '인상파'라는 이름의 유래
② '인상파' 회화의 표현 기법
③ '인상파' 회화가 갖는 의의
④ '인상파'에 속하는 미술 작품
⑤ '인상파'의 영향을 받은 현대 화가

02 '인상파'에 대한 이해로 가장 적절한 것은?

① 특별한 인물의 모습을 그린다.
② 오랫동안 정교하게 계획한 대로 그린다.
③ 빛에 따른 대상의 미묘한 변화를 그린다.
④ 그림의 구도와 짜임새를 정확하게 그린다.
⑤ 주제를 드러낼 수 있는 상징적인 대상을 그린다.

독해 포인트 문제
03 이 글을 읽고 난 후의 반응으로 적절한 것을 보기에서 골라 묶은 것은?

> 보기
> ㄱ. 인상파 화가들을 통해 회화가 다룰 수 있는 대상의 폭이 넓어졌군.
> ㄴ. 인상파 화가들은 일상의 모습에 상상을 더해 몽환적인 느낌의 그림을 그렸군.
> ㄷ. 인상파 화가들은 특별한 사건을 담은 그림을 통해 교훈적 메시지를 전달하였군.
> ㄹ. 인상파 회화는 많은 사람들이 눈으로 즐길 수 있는 그림이라는 점에서 의의가 있군.

① ㄱ, ㄴ   ② ㄱ, ㄷ   ③ ㄱ, ㄹ
④ ㄴ, ㄷ   ⑤ ㄷ, ㄹ

독해 포인트 문제

04 ㉠과 ㉡에 대한 설명으로 적절한 것은?

① ㉠과 ㉡은 모두 정교한 채색을 중시하였다.
② ㉠은 ㉡과 달리 대상의 윤곽선을 흐리게 표현하였다.
③ ㉠은 ㉡과 달리 짧고 거친 붓자국을 이용하여 표현하였다.
④ ㉡은 ㉠과 달리 기존에 중시되던 전통 회화 기법을 사용하지 않았다.
⑤ ㉡은 ㉠과 달리 배경지식 없이는 이해하기 어려운 주제를 표현하고자 했다.

05 이 글을 바탕으로 다음 그림을 감상한 내용으로 적절하지 않은 것은?

▲ 모네, 「인상, 해돋이」

① 모네는 실제 해돋이 장면을 보며 이 그림을 그렸겠군.
② 루이 르루아는 이 그림을 보고 주제를 알 수 없는 작품이라고 평하였겠군.
③ 모네는 햇빛과 대기에 따라 해돋이의 색과 인상이 달라진다는 점을 고려하였겠군.
④ 모네는 자연이 가진 고유의 색을 정확하게 표현하기 위해 물감을 섞어 사용하였겠군.
⑤ 모네는 배의 윤곽선을 흐릿하게 하여 시시각각 다르게 보이는 배의 미묘한 변화를 표현하였겠군.

06 보기를 참고할 때, 밑줄 친 말이 ⓐ의 '미'와 다른 의미로 쓰인 것은?

보기

ⓐ '미완성'은 '아직 덜 됨.'이라는 뜻이다. '미(未)'는 다른 말 앞에 붙어 '그것이 아직 아닌', '그것이 아직 되지 않은'의 뜻을 더하는 말이다.

① 미공개   ② 미성년   ③ 미생물
④ 미취학   ⑤ 미확인

완벽 마스터 문제

07 이 글의 내용과 일치하지 <u>않는</u> 것은?

① 인상파 화가들은 주로 야외에서 그림을 그렸다.

3문단에서 인상파 화가들은 어두운 작업실이 아닌 야외에서 일상적인 풍경을 그렸다고 하였다.

② '인상파'라는 이름은 모네의 작품명에서 따왔다.

1문단에서 루이 르루아가 모네와 그의 동료들을 모네의 작품명에서 따온 '인상파'로 불렀다고 하였다.

③ 인상파 화가들은 눈앞에 보이는 대상을 그리고자 했다.

3문단에서 [❶   ] 화가들은 문학적 주제보다 눈앞의 대상을 그리는 것을 더 중요하게 생각했다고 하였다.

④ 인상파 화가들은 빛에 따라 달라지는 대상의 색에 주목했다.

3문단에서 인상파 화가들은 햇빛과 [❷   ]의 상태에 따라 달라지는 대상의 색을 표현했다고 하였다.

⑤ 인상파 화가들은 이전의 예술 경향을 따르면서 그것을 더욱 발전시켰다.

3~4문단에서 인상파 화가들이 이전과는 전혀 다른 주제와 [❸   ] 기법으로 그림을 그렸다고 하였다.

7문제 중에

_____ 문제 맞혔어!

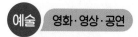

18 영화에 소리가 없다면

> 이번에 읽을 글은 영화에 사용하는 소리의 종류와 그 역할을 소개하고 있어.
> 글을 읽기 전에 어휘를 미리 알아 두면 글을 이해하는 데 도움이 될 거야.

✔ 읽기 전
어휘 체크

- **영상**

- **분명**

- **긴박감**

- **여유**

- **고조되다**

- **무성 영화**

- **유성 영화**

01 한자를 통해 뜻 추측하기

다음 한자를 보고 각 어휘의 뜻을 추측하시오.

영상	
映 비치다	영
像 모양	상

①

분명	
分 나누다	분
明 밝다	명

②

긴박감	
緊 급하다	긴
迫 닥치다	박
感 느낌	감

③

여유	
餘 남다	여
裕 너그럽다	유

④

ㄱ
어떤 일이나 때가 가까이 닥쳐서 몹시 급한 느낌.

ㄴ
넉넉하고 남음이 있음. 느긋하고 너그럽게 행동하는 마음.

ㄷ
스크린, 브라운관, 모니터에 비추어진 사물의 모양이나 형태.

ㄹ
틀림없이 확실하게.

02 문장을 통해 뜻 추측하기

다음 문장에 공통으로 쓰인 '고조되다'의 뜻을 추측하시오.

> - 두 나라 사이에 전쟁이 일어날지도 모른다는 위기감이 고조되었다.
> - 동점골이 터지자 경기의 분위기가 고조되었고 관객 모두가 열광했다.
> - 놀이동산에 있는 귀신의 집은 안쪽으로 들어갈수록 공포심이 더욱 고조되었다.

① 정도, 수준, 능률 따위가 떨어져 낮아지다.
② 사상이나 감정, 세력이 한창 무르익거나 높아지다.
③ 어떤 물건이 속일 목적으로 꾸며져 진짜처럼 만들어지다.

03 자료를 통해 뜻 추측하기

다음을 보고 '무성 영화'와 '유성 영화'의 관계를 추측하시오.

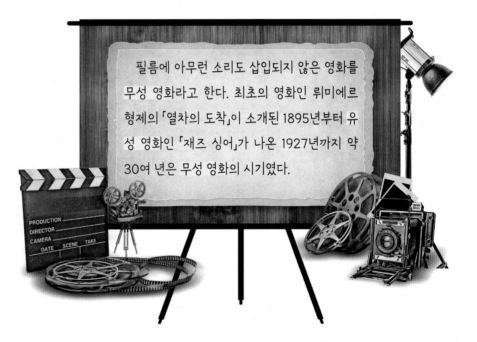

> 필름에 아무런 소리도 삽입되지 않은 영화를 무성 영화라고 한다. 최초의 영화인 뤼미에르 형제의 「열차의 도착」이 소개된 1895년부터 유성 영화인 「재즈 싱어」가 나온 1927년까지 약 30여 년은 무성 영화의 시기였다.

① 뜻이 서로 비슷한 말   ② 뜻이 서로 반대되는 말   ③ 한 말이 다른 말을 포함하는 말

> 지금 배운 어휘들은 이어질 글에 표시해 두었어.
> 어휘의 뜻을 떠올리며 글을 읽어 보자.

18
영화에 소리가 없다면

이 글을 읽기 전에 먼저
이 글의 독해 포인트 를 확인해 보자!

독해 포인트

1 영화 속 소리의 종류에는 무엇이 있는가?

2 영화 속 소리는 어떤 역할을 하는가?

#1문단 영화에서 만약 소리를 ⓐ<u>없앤다면</u> 어떤 일이 벌어질까? 아마 영화의 내용이나 분위기, 인물의 심리 등을 단번에 파악하기가 어려울 것이다. 이런 점을 고려할 때 영화 속 소리는 **영상**과 분리해서 생각할 수 없다. 하지만 초기의 영화는 소리가 없는 **무성 영화**였다. 1920년대 후반 **유성 영화**가 등장하기는 하지만 ㉠<u>일부 영화감독들</u>은 영화에 소리가 들어가는 것에 ¹부정적이었다. 그들은 가장 영화다운 장면은 소리 없이 움직이는 그림으로만 이루어지는 것이라고 믿었으며, 영화 속 소리가 영화의 시각적인 예술 효과와 영화적 상상력을 빼앗을 것이라고 생각하였다. 그러나 지금은 영화에서 소리를 빼는 일을 상상조차 할 수 없을 정도로 영화에서 소리는 필수적인 요소가 되었다.

#2문단 영화 속 소리의 종류에는 대사, 음향 효과, 음악이 있다. 대사는 정보를 전달하고, 음향 효과는 영상에 포인트를 주며, 음악은 분위기를 더해 준다. 이러한 영화 속 소리는 좀 더 구체적이고 **분명**하게 영화의 내용을 전달하는 데 도움을 준다. 나아가 영화의 ²주제 의식을 강조하는 역할도 한다. 또 영상의 시간적, 공간적 배경을 확인하고, 영상에 현실감을 더하기도 한다. 예를 들어 현대인의 일상적인 삶을 표현할 때 일상생활에서 발생하는 소음을 음향 효과로 사용한다면 영상의 사실성을 높일 수 있다.

어휘 태그

1 **부정적** 그렇지 않다고 딱 잘라 말하거나 옳지 않다고 반대하는 것. 바람직하지 못한 것.
2 **주제** 대화나 연구에서 중심이 되는 문제. 예술 작품에서 지은이가 나타내고자 하는 기본적인 생각.

#3문단 또한 영화 속 소리를 이용하여 영화의 분위기를 조성하거나 인물의 내면 심리를 표현할 수도 있다. 특히 소리의 높낮이와 빠르기를 조절하여 장면의 분위기나 인물의 내면 심리를 효과적으로 표현할 수 있다. 예를 들어 인물이 쫓기는 장면에서는 음이 높고 속도가 빠른 음악을 사용해 불안감과 **긴박감**을 나타낼 수 있다. 음악이 더 빨라진다면 이런 분위기는 한층 더 **고조된다.** 반대로 인물이 무사히 도망친 후에는 느린 음악으로 전환하여 **여유**와 ³안도감을 줄 수 있다.

#4문단 마지막으로 영화 속 소리는 다른 시간에 다른 장소에서 찍은 여러 영상을 하나로 연결한다. 영화 속 소리가 주르륵 나열되는 영상들을 한 편의 작품으로 완성하는 것이다. 예를 들어 ⁴다큐멘터리 영화에 ⁵내레이션을 넣으면 각기 다른 장면이지만 하나의 주제를 향해 일관된 메시지를 자연스럽게 전달할 수 있다.

#5문단 앞에서 살펴본 것처럼 영화 속 소리는 영화 속에서 복합적으로 쓰이며, 영화의 예술적 상상력을 빼앗는 것이 아니라 오히려 더욱 풍부하게 해 준다. 그래서 오늘날 영화에서 사용하는 소리는 단순히 실제 소리를 녹음하는 것을 넘어 영화를 위해 따로 제작하는 경우도 많다. 특히 영화의 분위기를 좌우하는 음악의 경우는 ⁶오리지널 사운드트랙으로 발매되어 영화와는 또 다른 인기를 누리기도 한다. 앞으로 영화를 볼 때, 영상에 사용된 다양한 소리에 주의를 기울여 들어 보는 것은 어떨까?

#문단별 핵심 태그

1문단 초기에는 소리가 없는 영화도 있었으나 지금은 필수적인 요소가 된 영화 속 **#**

2문단 영화 속 소리의 기능 ① ─ 영화의 내용 전달, 주제 강조, 영상의 **#** 제시, 현실감 부여

3문단 영화 속 소리의 기능 ② ─ 분위기 조성, 인물의 **#** 표현

4문단 영화 속 소리의 기능 ③ ─ 나열된 여러 영상을 하나의 **#** 으로 완성

5문단 영화의 예술적 **#** 을 더욱 풍부하게 하는 영화 속 소리

──(어휘 태그)──

3 안도감 안심(모든 걱정을 떨쳐 버리고 마음을 편히 가짐.)이 되는 마음.

4 다큐멘터리(documentary) 영화 실제 상황이나 자연 현상을 사실 그대로 찍은 영화. 배우나 세트를 쓰지 않으며, 극적 요소도 사용하지 않음.

5 내레이션(narration) 영화, 방송극, 연극에서, 장면에 나타나지 않으면서 장면의 내용이나 줄거리를 해설하는 일.

6 오리지널 사운드트랙(original soundtrack) 드라마나 영화에 삽입되어 주제를 돋보이게 만들어 주는 음악. 흔히 줄여서 'OST(오에스티)'라고 부른다.

18 영화에 소리가 없다면

확인하기

1 영화 속 소리의 종류

영화에서 정보를 전달함.

음향 효과
영화 영상에 포인트를 줌.
㉮일상생활에서 발생하는 소음을 사용하여 현대인의 일상적인 삶을 사실적으로 표현함.

영화의 분위기를 더해 줌.
㉮음이 높고 속도가 빠른 음악을 통해 불안감과 긴박감을 나타냄.

2 영화 속 소리의 역할

내용 전달 측면	• 구체적이고 분명하게 내용을 전달하고 주제 의식을 강조함. • 영상의 시간적, **3** ☐☐적 배경을 확인함. • 영상에 현실감을 더함.
분위기 조성 측면	• 소리의 **4** ☐☐☐ 와 빠르기를 조절하여 장면의 분위기를 조성함. • 인물의 내면 심리도 표현함.
완성도 측면	영화의 여러 영상을 하나로 연결하여 한 편의 작품으로 완성함.

01 이 글의 중심 내용으로 가장 적절한 것은?

① 영화 속 소리의 역할
② 영화 속 소리의 한계
③ 영화 속 소리의 편집 기법
④ 영화 장르에 따른 소리의 종류
⑤ 영화에서 소리와 영상을 연결하는 방법

02 '영화 속 소리'의 역할을 파악한 것으로 적절하지 않은 것은?

① 장면과 장면을 하나로 이어지게 한다.
② 영화 속 인물의 내면 심리를 표현한다.
③ 영화의 시각적인 예술 효과를 주로 담당한다.
④ 영상의 시간적, 공간적 배경을 알아보게 한다.
⑤ 영화의 내용을 구체적이고 분명하게 전달한다.

03 보기가 ㉠이 말한 내용이라고 할 때, 빈칸에 들어갈 말로 적절한 것을 쓰시오.

> **보기**
> 가장 영화다운 장면은 움직이는 그림으로만 이루어지며, 영화 속 ☐ A ☐은/는 영화의 시각적인 예술 효과와 영화적 ☐ B ☐을/를 빼앗을 것이다.

• A: _____

• B: _____

04 보기에 제시된 영화에서 사용한 '영화 속 소리'에 대한 이해로 적절하지 않은 것은?

보기

　　이 영화는 첩보원인 주인공의 사랑과 모험을 그리고 있다. 주인공이 연인과 사랑을 속삭이는 장면에서는 부드럽고 잔잔한 음악이 흐르며 두 사람의 대화를 중심으로 장면이 전개된다. 반면 주인공이 악당에게 쫓기는 장면에서는 대사 없이 크고 강렬한 비트의 음악이 연속으로 흘러나오며, 달리는 소리나 물건들이 쏟아지는 소리만 간간히 들린다.

① 인물이 처한 상황에 따라 음악의 종류가 바뀌는군.

② 장면의 분위기를 조성하기 위해 음악을 사용하는군.

③ 음악의 높낮이나 크기도 분위기에 따라 달라지는군.

④ 장면마다 인물의 대사를 통해 영화의 내용을 전달하는군.

⑤ 음향 효과를 사용하여 인물의 행동을 사실적으로 연출하는군.

05 이 글을 참고하여 학교 홍보 영상을 찍으려고 할 때, 소리를 활용하는 계획으로 가장 적절한 것은?

① 선생님마다 어울리는 음악을 넣어 선생님의 심리를 표현해야겠어.

② 학생들이 교실에서 웃거나 떠드는 소리를 넣어 사실성을 높여야겠어.

③ 날카롭고 무거운 음악을 배경 음악으로 사용하여 학교라는 배경을 강조해야겠어.

④ 종소리를 삽입하여 학교에서 집으로 돌아가는 학생들의 행복한 마음을 나타내야겠어.

⑤ 학교의 여러 장소를 소개할 때는 자세한 정보를 전달해야 하니 자막을 많이 넣어야겠어.

06 문맥상 ⓐ와 바꾸어 쓰기에 가장 적절한 것은?

① 감면한다면
② 감축한다면
③ 약화한다면
④ 제거한다면
⑤ 추출한다면

07 '영화 속 소리'에 대한 설명으로 적절하지 않은 것은?

① 1920년대 이전에는 사용되지 않았다.

1문단에서 1920년대 후반에 와서야 [❶] 영화가 등장했다고 하였다.

② 일상생활 속 소음은 사용하지 못한다.

2문단에서 일상생활 속 소음을 음향 효과로 사용한다면 영상의 [❷]을 높일 수 있다고 하였다.

③ 종류에는 대사, 음향 효과, 음악이 있다.

2문단의 첫 문장에서 영화 속 소리의 종류와 기능을 설명하고 있다.

④ 현대 영화에서 필수적으로 사용되는 요소이다.

1문단에서 지금은 영화에서 소리를 빼는 일을 상상할 수도 없다고 하였다.

⑤ 한 장면에 여러 종류의 소리를 사용할 수 있다.

5문단에서 영화 속 [❸]는 영화 속에서 복합적으로 쓰인다고 하였다.

7문제 중에
_____문제 맞혔어!

19

음악에 사용되는 반복 기법

이번에 읽을 글은 음악에 나타나는 반복의 기법을 시대별로 설명하고 있어.
글을 읽기 전에 어휘를 미리 알아 두면 글을 이해하는 데 도움이 될 거야.

✓ 읽기 전
어휘 체크

○ 양상

○ 변주

○ 독립성

○ 일관성

○ 추구

○ 조화되다

○ 통일감

01 한자를 통해 뜻 추측하기

다음 한자를 보고 각 어휘의 뜻을 추측하시오.

양상	변주	독립성	일관성	추구
樣 모양 양 相 모양 상	變 변하다 변 奏 곡조 주	獨 홀로 독 立 서다 립 性 성질 성	一 하나 일 貫 꿰다 관 性 성질 성	追 쫓다 추 求 구하다 구
①	②	③	④	⑤

ㄱ	ㄴ	ㄷ	ㄹ	ㅁ
사물이나 현상의 모양이나 상태.	목적을 이룰 때까지 끝까지 좇아 구함.	처음부터 끝까지 하나의 방법, 태도로 계속되는 고유의 특성.	남에게 의지하거나 속박되지 않고 홀로 서려는 마음이나 태도.	어떤 주제를 바탕으로, 선율·리듬·화성을 여러 가지로 바꾸어 연주함.

02 문장을 통해 뜻 추측하기

다음 문장에 공통으로 쓰인 '조화되다'의 뜻을 추측하시오.

"
- 나는 네가 반 친구들과 **조화되기를** 바란다.
- 오늘 입은 옷과 신발의 색감이 **조화되어** 보기에 좋네요.
- 길거리에 장식한 서로 다른 모양의 꽃들이 축제 분위기에 **조화되었다**.
"

① 서로 잘 어울리다.
② 사라져 없어지게 되다.
③ 머릿속에 새겨 넣듯 깊이 기억되다.

03 자료를 통해 뜻 추측하기

다음을 보고 '통일감'의 뜻을 추측하시오.

이 방은 벽지와 가구를
비슷한 색상으로 배치하여
통일감을 주었다.

① 생기 있게 살아 움직이는 듯한 느낌.
② 사람, 사물, 느낌 따위가 실제로 있다고 생각하는 느낌.
③ 여러 개의 사물이나 사건이 하나의 기준에 따라 일관되는 듯한 느낌.

지금 배운 어휘들은 이어질 글에 **표시해** 두었어.
어휘의 뜻을 떠올리며 글을 읽어 보자.

19

음악에 사용되는 반복 기법

이 글을 읽기 전에 먼저
이 글의 독해 포인트 를 확인해 보자!

독해 포인트

1 음악에서 반복 기법을 사용하는 까닭은 무엇인가?

2 각 시대별 음악에 사용된 반복 기법은 무엇인가?

#1문단 회화나 조각 같은 공간 예술과 달리 음악은 시간의 흐름에 따라 전개되는 시간 예술이다. 따라서 음악에서는 시간이 흐르면서 사라지는 음을 기억하기 위한 방법이 필요하다. 작곡가들은 오래전부터 그 방법의 하나로 반복을 활용했다. 즉 반복을 통해 어떤 일이 어떻게 일어났는지를 기억하여 [1]악곡의 전체를 쉽게 파악할 수 있도록 한 것이다. 예를 들어 동요 「학교종」에서 이러한 반복의 **양상**과 효과를 확인할 수 있다. 이 동요에서는 반복되는 [2]선율이 노래를 하나로 묶어 준다.

학교종이 땡땡땡   어서모이 자   선생님이 우리를   기다리신 다
└ 반복되는 선율 ┘   └ 반복되는 선율 ┘

#2문단 무반주 [3]성악곡을 즐겨 부른 르네상스 시대의 [4]다성 음악 양식에서는 입체적인 효과를 주기 위한 기술적인 방법으로 ㉠'모방'을 선택했다. 이때 모방은 노래의 시작 부분에서 돌림 노래와 비슷한 방식을 적용함으로써 구현된다. 예를 들어 [5]소프라노 성부의 노래에 뒤이어 [6]알토 성부가 시간 차이를 두고 같은 선율로 시작하는 반복 ⓐ기법을 적용하는 것이다. 이렇게 돌림 노래처럼 시작한 후에는 각 성부가 서로 다른 선율로 노래를 이어 간다. 이로써 르네상스 시대의 다성 음악 양식에서는 각 성부의 **독립성**을 **추구**하면서도 **통일감**을 주는 짜임새가 만들어졌다.

 어휘 태그

1 **악곡** 음악의 곡조. 성악곡, 기악곡, 관현악곡을 통틀어 이르는 말.
2 **선율** 소리의 높낮이가 길이나 리듬과 어울려 나타나는 음의 흐름. 가락. 멜로디.
3 **성악곡** 사람의 음성으로 하는 음악을 위해 만든 곡.
4 **다성 음악** 독립된 선율을 가지는 둘 이상의 성부(고음부, 저음부와 같이 다성 음악을 구성하는 각 부분)로 이루어진 음악.
5 **소프라노(soprano)** 여성이나 어린이의 가장 높은 음역 또는 그 음역의 가수. 남성의 테너에 해당함.
6 **알토(alto)** 여성의 가장 낮은 음역 또는 그 음역의 가수. 남성의 베이스에 해당함.

#3문단 르네상스 시대를 지나면 바로크 시대가 시작되는데, 이 시기의 음악가들은 [7]화성을 ⓑ중시하였다. 그들은 여러 성부로 이루어진 음악을 연주하기보다는 화성 반주에 맞추어 하나의 선율을 노래하는 짜임새를 ⓒ선호하였다. 화성 반주의 악보 중에는 저음 성부에서 [8]패턴이 반복되는 경우가 있다. 이때 고음 성부에서는 선율이 반주에 맞추어 변화하는 이른바 [9]장식적 **변주**가 나타난다. 이로써 바로크 시대의 음악에서는 반복의 **일관성**과 변주의 [10]다양성이 아름답게 **조화되었다.**

#4문단 바로크 시대 다음으로 고전 시대에는 반복이 악곡의 형식을 결정하는 ⓓ요소로 사용되었다. 이 시대에 널리 쓰인 소나타는 주제가 다른 여러 악장이 서로 대조를 이루는 형태로 구성되는데, 마지막 악장은 첫 악장에 비해 상대적으로 쉬운 음악으로 구성되었다. 이때 마지막 악장은 악장의 주제를 ⓔ주기적으로 반복하는 사이사이에 이와 대조되는 새로운 주제들을 삽입하는 방식인 론도 형식이 주로 사용되었다.

#5문단 각 시대의 작곡가들은 입체적 모방, 장식적 변주, 형식적 반복 등 다양한 방법을 통해, 악곡 전체의 모습을 파악할 수 있게 하였다. 결국 음악은 시대마다 그 양상은 다르지만, 반복을 기본 원리의 하나로 활용하여 만들어진 것이다.

#문단별 핵심 태그

1문단 음악에서 사라지는 음을 기억하기 위한 방법인 #

2문단 르네상스 시대 – 입체적 효과를 주기 위해 # 의 방식으로 반복 기법을 구현함

3문단 바로크 시대 – 패턴의 반복과 장식적 # 를 통해 반복 기법을 구현함

4문단 고전 시대 – 주제를 주기적으로 반복하면서 새로운 주제를 삽입하는 # 형식을 통해 반복 기법을 구현함

5문단 음악의 양상은 # 마다 다르지만 반복이 기본 원리임

(어휘 태그)

7 **화성** 일정한 법칙에 따른 화음(높이가 다른 둘 이상의 음이 함께 울릴 때 어울리는 소리. 코드)의 연결.

8 **패턴(pattern)** 일정한 형태나 양식 또는 유형.

9 **장식적** 겉모양을 아름답게 꾸미는.

10 **다양성** 모양, 빛깔, 형태, 양식 따위가 여러 가지로 많은 특성.

지문의 난이도는 어땠어?

확인하기

1️⃣ 음악에서 반복 기법을 사용하는 까닭

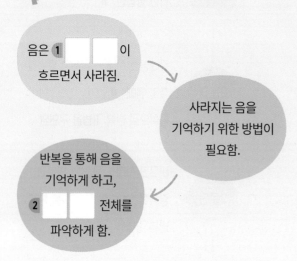

음은 **1** ☐☐ 이 흐르면서 사라짐.

사라지는 음을 기억하기 위한 방법이 필요함.

반복을 통해 음을 기억하게 하고, **2** ☐☐ 전체를 파악하게 함.

2️⃣ 각 시대별 음악에 사용된 반복 기법

르네상스 시대

입체적 모방: 노래의 시작 부분에서 **3** ☐☐ 노래와 비슷한 '모방'의 방식을 사용함.

↓

바로크 시대

반복과 변주: 저음 성부에서 패턴이 반복되고, 고음 성부에서 장식적 **4** ☐☐ 가 일어남.

↓

고전 시대

형식적 반복: 마지막 악장은 주제가 주기적으로 반복되는 사이사이에 이와 대조되는 새로운 주제를 삽입하는 론도 형식을 사용함.

---

01 각 시대에 따른 음악의 특징을 잘못 정리한 것은?

①	르네상스 시대	무반주 성악곡을 즐겨 부르는 다성 음악 양식이 나타남.
②	르네상스 시대	주제가 다른 여러 악장으로 구성되며 마지막 악장은 첫 악장보다 쉬움.
③	바로크 시대	화성을 중시하여 화성 반주에 맞추어 하나의 선율을 노래함.
④	바로크 시대	패턴이 반복되는 성부와 변주가 나타나는 성부가 조화됨.
⑤	고전 시대	악곡의 형식을 결정하는 요소로 반복이 사용됨.

02 음악에서 '반복 기법'을 사용하는 이유로 가장 적절한 것은?

① 노래를 따라 부르게 하기 위해서
② 악곡 전체를 외우게 하기 위해서
③ 사라지는 음을 기억하게 하기 위해서
④ 음악과 다른 예술과의 차별화를 위해서
⑤ 공간 예술로서의 음악의 특징을 나타내기 위해서

03 다음 중 ㉠의 방법으로 노래의 시작 부분을 만든 것으로 적절한 것은?

① 성부 1 [A][B]　　② 성부 1 [A][B]
　 성부 2 　[A][C]　　　 성부 2 　[A][C]

③ 성부 1 [A][B]　　④ 성부 1 [A][B]
　 성부 2 　[C][D]　　　 성부 2 　　[D][C]

⑤ 성부 1 [A][B]
　 성부 2 [C][B]

04 이 글과 [보기]를 관련지어 이해한 내용으로 적절하지 **않은** 것은?

[보기]
　르네상스의 건축물을 살펴보면, 문과 창의 형태는 같지만 크기가 다른 것을 알 수 있다. 문과 창의 형태가 같은 것에서는 반복의 아름다움이, 크기가 다른 것에서는 변화의 아름다움이 느껴진다. 르네상스 건축가들은 이런 건축물을 음악에 빗대어 '조화'라고 불렀다.

① 르네상스 시대의 음악과 건축물에서는 같은 아름다움을 느낄 수 있겠군.
② '조화'라는 건축물에서 느껴지는 아름다움은 음악에서도 느낄 수 있겠군.
③ 장식적 변주를 넣었을 때와 문과 창을 변화시켰을 때는 같은 아름다움이 느껴지겠군.
④ 소나타의 마지막 악장에서는 문과 창의 크기 차이와 같이 변화의 아름다움만 느껴지겠군.
⑤ 바로크 음악의 저음 성부에서는 문과 창의 형태가 같은 것에서 느껴지는 반복의 아름다움이 느껴지겠군.

05 ⓐ~ⓔ의 사전적 의미로 적절하지 **않은** 것은?

① ⓐ기법: 아주 교묘한 기술이나 솜씨를 나타내는 방법.
② ⓑ중시: 가볍게 여길 수 없을 만큼 매우 크고 중요하게 여김.
③ ⓒ선호: 산뜻하고 뚜렷하여 다른 것과 혼동되지 않음.
④ ⓓ요소: 사물이 이루어지거나 효력이 생기기 위해 꼭 필요한 성분 또는 조건.
⑤ ⓔ주기적: 일정한 간격을 두고 되풀이하여 진행하거나 나타나는 것.

06 [보기]에서 설명하는 악곡의 형식을 이 글에서 찾아 쓰시오.

[보기]
• 고전 시대에 널리 쓰인 악곡으로 여러 악장이 서로 대조됨.
• 마지막 악장에서 론도 형식을 사용함.

완벽 마스터 문제

07 이 글의 내용으로 알 수 **없는** 것은?

① 선율을 반복하면 노래에 통일성이 부여된다.
> 1문단에서 반복되는 [❶　　　　]이 노래를 하나로 묶어 준다고 하였다.

② 시대별 음악 양식에 따라 반복의 양상이 달라진다.
> 5문단에서 각 시대의 작곡가들은 다양한 방법으로 반복을 활용하여 음악을 만들었다고 하였다.

③ 무반주 성악곡에서는 돌림 노래를 장식적 변주로 사용한다.
> 3문단을 통해 장식적 변주는 르네상스 시대가 아니라 바로크 시대에 사용된 반복 기법임을 알 수 있다.

④ 다성 음악의 시대를 지나면 화성을 중시하는 시대가 이어진다.
> 3문단에서 르네상스 시대가 지나면 [❷　　　　] 시대가 이어지는데, 이때 화성이 중시되었다고 하였다.

⑤ 반복 기법은 단순한 동요부터 복잡한 악곡까지 널리 사용된다.
> 반복은 1문단의 단순한 [❸　　　　]부터 4문단의 복잡한 소나타까지 사용되었음을 확인할 수 있다.

121

7문제 중에
_____ 문제 맞혔어!

20

동양화의 여백이 주는 아름다움

이번에 읽을 글은 동양화에서 여백이 주는 효과를 설명하고 있어.
글을 읽기 전에 어휘를 미리 알아 두면 글을 이해하는 데 도움이 될 거야.

☑ 읽기 전
어휘 체크

○ 여백

○ 형체

○ 미

○ 제외

○ 암시

○ 단정하다

○ 대비되다

01 한자를 통해 뜻 추측하기

다음 한자를 보고 각 어휘의 뜻을 추측하시오.

여백	형체	미	제외	암시
餘 남다 여 白 희다 백	形 모양 형 體 몸 체	美 아름답다 미	除 덜다 제 外 바깥 외	暗 넌지시 암 示 알리다 시
①	②	③	④	⑤

㉠	㉡	㉢	㉣	㉤
물건의 생김새나 그 바탕이 되는 몸체.	종이에 글씨를 쓰거나 그림을 그리고 남은 빈자리.	드러나지 않게 가만히 알림. 또는 그 내용.	눈과 같은 감각 기관을 통해 인간에게 좋은 느낌을 주는 아름다움.	따로 떼어 내어 한데 헤아리지 않음.

02 사전에서 뜻 찾기

다음 국어사전을 참고하여 제시된 문장에 쓰인 '단정하다'의 뜻을 추측하시오.

국어사전

단정하다¹	옷차림새나 몸가짐이 얌전하고 바르다.	①
단정하다²	깨끗이 정리되어 가지런하다.	②
단정하다³	딱 잘라서 판단하고 결정하다.	③

반장은 세연이의 말은 듣지도 않고 세연이가 책임을 다하지 않았다고 단정하였다.

03 자료를 통해 뜻 추측하기

다음을 보고 '대비되다'의 뜻을 추측하시오.

붉은색 관람차의 모습이
파란 하늘과 대비되어
더욱 인상적이었다.

① 두 가지의 차이를 밝힐 목적으로 서로 맞대어져 비교되다.
② 현상이나 사물의 옳고 그름이 판단되어 밝혀지거나 잘못된 점이 지적되다.
③ 어떤 현상이나 사물이 직접 설명되지 않고 다른 비슷한 현상이나 사물에 빗대어져 설명되다.

지금 배운 어휘들은 이어질 글에 **표시**해 두었어.
어휘의 뜻을 떠올리며 글을 읽어 보자.

20
동양화의 여백이 주는 아름다움

이 글을 읽기 전에 먼저
이 글의 독해 포인트 를 확인해 보자!

독해 포인트

1 동양화에서 여백은 어떻게 표현되는가?

2 동양화에서 여백이 주는 효과는 무엇인가?

#1문단 동양화의 여러 특징 중 대표적인 것이 바로 **여백**의 **미**이다. 여백의 미를 살리지 않은 그림은 동양화라 말할 수 없을 정도로 여백은 동양화에서 흔히 볼 수 있는 특징이다. 이러한 여백은 다양한 방법을 통해 표현되는데, 화면 한쪽을 넓게 비워 놓는가 하면 화면을 구성하는 대상의 사이사이를 비워 놓기도 한다. 또한 일반적으로는 아무것도 그리지 않은 빈 공간으로 여백을 표현하지만, 물이나 하늘, 안개나 구름과 같은 대상으로 여백을 표현하기도 한다. 그리고 ⓐ빽빽함에 **대비되는** ⓑ[1]성김으로, 드러남에 대비되는 감춤으로 표현하기도 한다.

#2문단 조선 후기의 화가 김홍도의 「관폭도」라는 작품을 통해 여백이 주는 효과를 살펴보자.

▲ 김홍도, 「관폭도」

이 그림을 보면 선비들이 모여 있는 곳과 산의 일부를 **제외**하고는 구석구석이 비어 있다. 심지어 산에서 떨어지는 폭포조차도 **형체**를 그리는 대신에 여백으로 표현하였다. 이렇듯 여백은 화면의 여러 부분을 비워 둠으로써 그림을 여유롭고 편안하게 만들어 준다. 그리고 [2]세밀하게 표현된 풍경들을 잘 정리해 주어 그림을 안정감 있게 만든다. 동양화 속에 등장하는 풍경들이 세밀하고 **빽빽**하게 그려져 있더라도 그리 복잡하거나 [3]산만하게 보이지 않는 것은 바로 그림 속에 여백이 있기 때문이다.

#3문단 또한 여백은 그림을 감상하는 사람이 상상력을 발휘할 수 있는 바탕이 되기도 한다. 여백에는 아무것도 없지만, 오히려 그림으로 표현된 것보다 더 많은 **암시**가 들어 있다. 김홍도의 「관폭도」에서 선비들이 바라보는 곳을 주의 깊게 살펴보자. 폭포 건너편에 있는 선비들은 그림의 오른쪽에 있는 무언가를 바라보고 있는데, 화가는 선비들이 바라보는 대상을 여백으로 표현하였다. 따라서 선비들이 바라보는 대상이 그림 속 공간 안에 있을 수도 있고, 그림 바깥 저 멀리에 있을 수도 있다. 만약 작품의 오른쪽에 봉우리를 그렸다면 선비들이 ⁴봉우리를 바라보고 있는 것으로 **단정하게** 되지만, 여백으로 남겨 두었기 때문에 나무, 집, 바위 등 더 많은 것을 상상할 수 있다. 그러한 점에서 ㉠여백은 일종의 적극적 표현이다.

#4문단 이렇듯 동양화의 여백은 화가의 의도가 담긴 표현으로, 그림을 다 그리고 난 나머지로서의 빈 공간이 아니라 그 자체로서 의미가 있는 부분이다. 감상자는 이러한 여백을 자신의 생각으로 채우면서 ⁵운치와 ⁶여운을 느낄 수 있다.

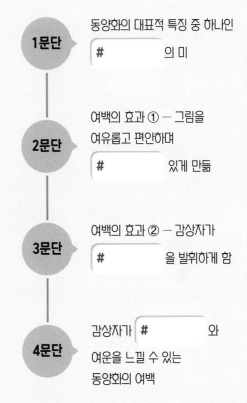

#문단별 핵심 태그

1문단 동양화의 대표적 특징 중 하나인 # ___ 의 미

2문단 여백의 효과 ① – 그림을 여유롭고 편안하며 # ___ 있게 만듦

3문단 여백의 효과 ② – 감상자가 # ___ 을 발휘하게 함

4문단 감상자가 # ___ 와 여운을 느낄 수 있는 동양화의 여백

어휘 태그

1 **성김** 물건의 사이가 뜸.
2 **세밀하게** 자세하고 꼼꼼하게.
3 **산만하게** 어수선하여 질서나 통일성이 없게.
4 **봉우리** 산에서 뾰족하게 높이 솟은 부분.
5 **운치** 품위나 몸가짐의 수준이 높고 훌륭하며 우아한 멋.
6 **여운** 아직 가시지 않고 남아 있는 운치.

20 동양화의 여백이 주는 아름다움

지문의 난이도는 어땠어?

독해 포인트
확인하기

1 동양화에서 여백을 표현하는 방법

```
1 □□ 의 표현 방법
```

- 화면 한쪽을 넓게 비워 놓거나 화면을 구성하는 대상 사이사이를 비워 놓음.
- **2** □ 이나 하늘, 안개나 구름 같은 대상으로 표현하기도 함.
- 빽빽함에 대비되는 성김과 드러남에 대비되는 감춤으로 표현하기도 함.

2 동양화에서 여백이 주는 효과

화면의 여러 부분을 비워 그림을 여유롭고 편안하게 만듦.

세밀하게 표현된 풍경을 잘 정리하여 그림을 안정감 있게 만듦.

그림을 감상하는 사람이 **3** □□□ 을 발휘할 수 있게 만듦.

```
4 □□ 와 여운을
느낄 수 있음.
```

01 이 글의 중심 내용으로 가장 적절한 것은?

① 동양화를 올바르게 감상하는 법
② 동양화에서 풍경을 묘사하는 방식
③ 「관폭도」에 드러난 김홍도의 작품 세계
④ 동양화에서의 여백의 표현 방법과 효과
⑤ 「관폭도」를 통해 알 수 있는 선비들의 풍류

독해 포인트 문제

02 동양화의 '여백'이 주는 효과로 적절하지 <u>않은</u> 것은?

① 그림을 여유롭고 편안하게 만들어 준다.
② 세밀하게 표현된 풍경을 잘 정리해 준다.
③ 감상자가 운치와 여운을 느끼게 해 준다.
④ 감상자가 그림을 그려 여백을 채울 수 있게 해 준다.
⑤ 감상자가 여백을 자신의 생각으로 채우면서 감상할 수 있게 해 준다.

03 글쓴이가 ㉠과 같이 말한 까닭으로 가장 적절한 것은?

① 그림을 해석할 시간을 주기 때문이다.
② 많은 것을 상상할 수 있게 하기 때문이다.
③ 그림이 있는 공간과 조화를 이루기 때문이다.
④ 잠시 생각을 멈추고 쉴 수 있게 하기 때문이다.
⑤ 그림에 표현되어 있는 것에 더 집중할 수 있게 하기 때문이다.

독해 포인트 문제

04 동양화의 '여백'에 대한 설명으로 적절하지 <u>않은</u> 것은?

① 의도적인 표현 방법으로, 화면에 안정감을 제공한다.
② 세밀하고 빽빽한 풍경도 복잡하거나 산만해 보이지 않게 한다.
③ 동양화에서 하늘, 구름, 안개와 같은 대상의 사실성을 높이는 데 활용된다.
④ 화면 한쪽을 넓게 비우거나 대상의 사이사이를 비우는 방식을 사용한다.
⑤ 빽빽함에 대비되는 성김이나 드러남에 대비되는 감춤으로 표현하기도 한다.

05 <u>보기</u>의 조각에서 동양화의 '여백'에 해당하는 부분을 모두 찾아 기호를 쓰시오.

보기

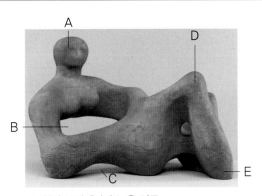

▲ 헨리 무어, 「기대 누운 인물」

　조각가들은 형상 사이사이의 공간까지 단순히 빈 곳이 아니라 작품을 구성하는 중요한 요소로 여겼다. 이 작품에서도 작품을 하나의 덩어리로만 표현하지 않고, 비어 있는 공간을 작품의 중요한 구성 요소로 삼고 있다.

06 두 어휘의 관계가 ⓐ : ⓑ의 관계와 <u>다른</u> 것은?

① 거칠다 : 부드럽다
② 무르다 : 단단하다
③ 넉넉하다 : 풍족하다
④ 느슨하다 : 팽팽하다
⑤ 가지런하다 : 들쑥날쑥하다

완벽 마스터 문제

07 「관폭도」에 대한 설명으로 적절하지 <u>않은</u> 것은?

① 김홍도가 그린 그림이다.

2문단에서 김홍도가 [❶　　　　　　]를 구경하는 선비를 소재로 그린 그림임을 알 수 있다.

② 구석구석을 비어 있게 그렸다.

2문단에서 선비들이 모여 있는 곳과 산의 일부를 제외하고는 구석구석이 비어 있다고 하였다.

③ 떨어지는 폭포를 세밀하게 표현하였다.

2문단에서 산에서 떨어지는 폭포조차도 형체를 그리지 않고 [❷　　　　　]으로 표현하였다고 하였다.

④ 폭포 건너편에는 선비들이 모여 앉아 있다.

2문단에서 이 그림의 앞쪽이자 폭포의 맞은편에는 [❸　　　　　] 넷이 모여 앉아 있다고 하였다.

⑤ 그림 속 선비들이 바라보는 곳은 여백이다.

3문단에서 선비들이 바라보는 대상을 여백으로 표현하였다고 하였다.

7문제 중에
＿＿＿＿ 문제 맞혔어!

MEMO

메모하는 곳!

초등

수능
독해

비문학 1

가이드북

책 속의 가접 별책 (특허 제 0557442호)

'가이드북'은 본책에서 쉽게 분리할 수 있도록 제작되었으므로
유통 과정에서 분리될 수 있으나 파본이 아닌 정상제품입니다.

ABOVE IMAGINATION

우리는 남다른 상상과 혁신으로
교육 문화의 새로운 전형을 만들어
모든 이의 행복한 경험과 성장에 기여한다

초등

수능
독해

비문학 1 | 과학·사회·기술
인문·예술

가이드북

수능! 그것이 알고 싶다

수능을 파헤치는 첫 번째 질문

'수능'이 무엇인가요?

수능은 '대학 수학 능력 시험'의 줄임말이에요. 대학에 진학할 만큼 학습할 능력이 있는지 평가하는 시험이라는 뜻이지요. 고등학교까지 교육과정을 마친 사람들이 11월 셋째 주 목요일에 수능을 치러요. 수능을 보는 날짜는 나라에 중요한 일이 있을 때에는 바뀔 수도 있어요. 학생들은 이 시험 점수를 가지고 가고 싶은 대학교에 지원하게 되지요.

수능을 파헤치는 두 번째 질문

수능에서 시험을 치르는 영역에는 무엇이 있나요?

수능에서 출제되는 영역은 '국어, 수학, 영어, 한국사, 사회탐구, 과학탐구, 직업탐구, 제2외국어/한문'이 있어요. 수능에서 어떤 영역의 시험을 볼지는 필수인 한국사를 제외하고는 스스로 정할 수 있지만 자신이 가고 싶은 학교의 입학 요건에 맞추어 자신이 시험 볼 영역을 신청해야 하지요.

수능을 파헤치는 세 번째 질문

수능은 얼마 동안 몇 문제를 풀어야 하나요?

수능은 하루 동안 모든 시험을 치러요. 영역별로 문제를 풀 수 있는 시간은 정해져 있어요. 국어는 80분, 수학은 100분, 영어는 70분, 한국사와 탐구는 과목당 30분, 제2외국어·한문은 과목당 40분의 시간을 준답니다. 문제의 개수도 영역별로 달라요. 국어와 영어는 가장 많은 45문제가, 수학과 제2외국어/한문은 30문제, 한국사와 탐구는 20문제씩 출제된답니다.

수능을 파헤치는 네 번째 질문

수능 성적은 어떻게 나오나요?

수능에서 말하는 '표준점수'는 내 점수가 평균과 비교해서 어느 정도인지 계산해서 주는 점수예요. 표준점수를 보면 내가 전체 응시자 중에서 어느 정도 위치인지를 알 수 있어요. '백분위점수'는 이 표준점수에 등수를 매긴 거예요. 이 백분위에 따라 성적을 1등급에서 9등급까지 나눈 것이 '등급'이지요.

 **은**

1 80분 동안 45문제를 푸는 시험입니다.

☑ 난이도에 따라 2점이나 3점으로 점수가 매겨진 45개의 5지 선다형 문제를 풀어야 합니다.

☑ 80분 동안 모든 문제를 푸는 것은 물론, 답지에 정답 표시까지 마쳐야 합니다.

2 학교에서 배운 내용에서 문제가 나오는 시험입니다.

☑ 국어과 교육과정(교과서)의 내용을 바탕으로 국어 능력을 측정하는 시험입니다.

☑ 초등학교부터 고등학교에 이르기까지 학교에서 배운 국어 지식들을 묻는 문제가 출제됩니다.

3 국어 능력을 평가하는 시험입니다.

어휘·개념	사실적 이해	추론적 이해	비판적 이해	적용·창의
정확하고 효과적으로 어휘를 사용하고, 교과서에서 배운 기본 개념을 이해하는 능력	말이나 글에 포함된 정보와, 정보 간의 관계, 말이나 글의 구조를 정확하게 파악하는 능력	말이나 글에 직접 나타나 있지 않은 함축적 의미, 의도, 주장 등을 논리적으로 추리하는 능력	말과 글의 내용이 타당한지, 적절한지, 가치 있는지 평가하거나 문학 작품을 비판적으로 감상하는 능력	말이나 글의 개념과 원리를 다른 상황에 적용하거나 새로운 방식으로 표현하는 능력

4 공통 과목과 선택 과목으로 이루어진 시험입니다.

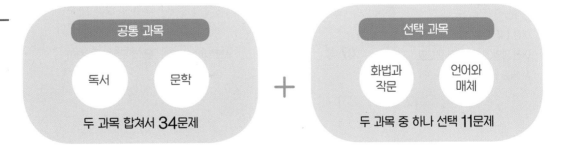

01 무한한 가능성을 가진 우리의 뇌

✓ 읽기 전 어휘 체크

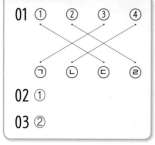

01 ① ② ③ ④
ⓐⓑⓒⓓ
㉠ ㉡ ㉢ ㉣

02 ①

03 ②

#문단별 핵심 태그

가
[# 대뇌] 피질의
영역마다 기능이 다르며,
영역별 기능은 고정되어
있다는 인식

나
경험에 따라 대뇌 피질의 영역별
[# 기능]이 달라진 사례
— 빛 차단 실험

다
경험에 따라 뇌 조직이 변화한
사례 ① — [# 택시]
기사와 버스 기사의 해마 연구

라
경험에 따라 뇌 조직이 변화한
사례 ② — [# 명상]
이나 악기 연주를 자주 하는
사람들의 뇌 연구

마
어떤 [# 환경]이냐,
어떤 경험이냐에 따라 변화할
수 있는 뇌의 무한한 가능성

문제 정답 및 해설

메인북 8~13쪽까지 정답이야!

독해 포인트 **1** 시각 **2** 택시 **3** 경험

01 ②

#가에 따르면, 시각 정보는 후두엽, 촉각 정보는 두정엽에서 처리한다. 시각 정보가 들어오지 않도록 빛을 차단한 실험에서 후두엽이 촉각 정보를 처리하게 되었지만 두정엽이 시각 정보를 처리하게 되었는지는 알 수 없다.

02 ⑤

#마에 따르면, 뇌가 경험에 따라 변화할 수 있다는 것은 경험을 통해 원하는 방향으로 뇌를 계발할 수 있다는 것을 의미한다. 그렇기 때문에 글쓴이는 우리의 뇌가 무한한 가능성을 가졌다고 말한 것이다.

03 ②

보기의 슬기는 사고가 난 이후 다른 사람의 말을 이해하는 데 어려움을 겪고 있다. **#가**에서 인간의 언어 기능을 담당하는 뇌의 영역은 전두엽이며, 이 전두엽을 다치면 말을 이해하는 데에 어려움을 겪게 된다고 하였다.

04 ③

#다에 따르면 붉은 색으로 표시된 조직은 해마이다. 매번 새로운 길을 탐색하는 택시 기사가 공간 기억을 담당하는 기관인 해마를 더 많이 사용하기 때문에, 정해진 노선을 운전하는 버스 기사보다 해마의 크기가 더 크다고 하였다. 이로 보아 해마의 크기는 경험에 따라 달라질 수 있으며, 태어날 때 이미 그 크기가 결정되는 것은 아니다.

05 ③

#마에서 과거에는 다 자란 뇌는 변화하지 않는다고 생각했는데, 뇌에 관한 새로운 연구 결과가 쌓이면서 현재에는 환경과 경험에 따라 뇌의 기능과 크기가 변화할 수 있음을 알게 되었다고 하였다.

06 ④

㉠ '무한한'은 '수, 양, 공간, 시간에 제한이나 한계가 없다.'라는 뜻이다. '끝없는'은 '끝나는 데가 없거나 제한이 없다.'라는 뜻이므로 ㉠과 바꾸어 쓰기에 적절하다.
① '헛된'은 '아무 보람이나 실속이 없다.', ② '창피한'은 '체면이 깎이는 일이나 아니꼬운 일을 당하여 부끄럽다.', ③ '뚜렷한'은 '엉클어지거나 흐리지 않고 아주 분명하다.', ⑤ '어리석은'은 '슬기롭지 못하고 둔하다.'라는 뜻이다.

07 ⑤

|완벽 마스터 문제| **1** 전두엽 **2** 해마

02 이글루에 담긴 과학적 원리

✓ 읽기 전 어휘 체크

01 ① ② ③ ④
      ㉠ ㉡ ㉢ ㉣

02 (1) 응고 (2) 융해

03 ③

문단별 핵심 태그

가
이누이트들이 눈으로 만드는
주거 시설, [# 이글루]

나
이글루의 제작 방법 —
[# 융해]와 응고의
원리로 만드는 단단한 얼음집

다
이글루의 난방 원리 ① —
태양 에너지를 많이 받는
[# 반구] 모양

라
이글루의 난방 원리 ② —
얼음이 복사 에너지를 차단해
[# 온실 효과] 발생

마
이글루의 난방 원리 ③ —
바닥에 뿌린 물이 얼면서
[# 열] 방출

바
융해, 응고, 복사, 증발 등의
[# 과학적] 원리와
이누이트들의 지혜가 담긴
이글루

문제 정답 및 해설

메인북 14~19쪽까지 정답이야!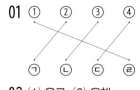

독해 포인트 **1** 불 **2** 응고 **3** 반구 **4** 방출

01 ②

#바 에서 글쓴이는 이글루가 과학적 원리를 고려하여 설계되지는 않았지만, 이누이트들이 경험을 통해 터득한 삶의 지혜가 담겨 있다고 하였다.

02 ⑤

'응고'란 액체가 열에너지를 방출하여 고체로 변하는 현상을 말한다. 눈 벽돌로 된 이글루를 단단한 얼음집으로 만드는 과정에서 이글루의 출입구를 열면 녹았던 물이 바깥의 차가운 공기 때문에 다시 얼게 된다. 이처럼 액체인 물이 고체인 얼음이 되므로, '응고' 현상이 나타났다고 볼 수 있다.

03 접착제

#나 에서 이누이트들은 눈 벽돌을 녹인 물로 벽돌 사이의 빈틈을 메우고 이를 다시 얼림으로써 이글루를 단단하게 만들었다고 하였다. #바 에서 이 방법을 다시 언급하면서 이누이트가 접착제를 사용하지 않고도 눈으로 튼튼한 구조물을 만들었다고 했는데, ㉠ '이 물'이 접착제와 같은 역할을 한 것이다.

04 ④

#마 에서 여름철 마당에 물을 뿌리면, 물이 증발되면서 주변의 열을 흡수하기 때문에 주변이 시원해진다고 하였다. 남학생은 젖은 몸의 물기가 마르면서 추위를 느끼고 있으므로, 몸의 물이 주변의 열을 흡수하는 증발 현상이 일어난 것이다.

05 ④

출입구를 반복해서 열고 닫는 것은 난방이 아니라 이글루를 단단한 얼음집으로 만들기 위해서이다. 이글루의 출입구를 닫은 채로 불을 피워 눈 벽돌을 녹이고, 다시 출입구를 열어 녹은 눈 벽돌을 얼리는 일을 반복하면 이글루는 단단한 얼음집이 된다. ①은 #다 에서, ②와 ③은 #라 에서, ⑤는 #마 에서 확인할 수 있다.

06 ②

ⓐ '흡수'는 '빨아서 거두어들임.'이라는 뜻, ⓑ '방출'은 '모아 둔 것을 내보냄.'이라는 뜻이므로 두 어휘는 반의 관계에 있다. '내부'는 '안쪽의 부분.', '외부'는 '바깥 부분.'이라는 뜻으로, 두 어휘의 의미는 서로 반대된다.
① '수박'과 '포도'는 모두 '과일'이라는 하나의 종류에 속한다. ③ '분침'은 '시계'의 한 부분이다. ④ '연세'는 '나이'를 높이는 표현이다. ⑤ '사자'는 '포유류'에 포함되는 말이다.

07 ④

|완벽 마스터 문제| **1** 극한 **2** 복사 **3** 수직

03 소리는 어떻게 전달될까

메인북 20~25쪽까지 정답이야!

✔ 읽기 전 어휘 체크

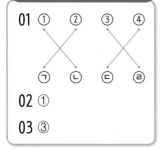

01 ① ② ③ ④
　　ⓒ ⓛ ⓒ ⓒ

02 ①

03 ③

#문단별 핵심 태그

1문단
소리의 생성과 전달 ―
물체의 [# 진동]으로
생긴 소리의 파동이 귀로 들어옴

2문단
소리의 특성 ① 반사 ―
물체에 [# 반사]되어
되돌아옴

3문단
소리의 특성 ② 흡수 ―
물체에 의해 [# 흡수]
되기도 함

4문단
소리의 속성 ③ 회절 ―
[# 파동]이 장애물을
만나면 휘어져 진행함

문제 정답 및 해설

독해 포인트　**1** 진동　**2** 매질　**3** 반사　**4** 흡음재　**5** 회절

01 ③
이 글에서 소리의 높고 낮은 정도나 높낮이가 차이가 나는 이유 등에 대한 내용은 언급하지 않았다.
①과 ④는 #1문단 에서, ②는 #2문단 ~ #4문단 에서, ⑤는 #4문단 에서 확인할 수 있다.

02 ④
이 글의 #4문단 에서는 한가운데에 바위가 있는 연못에 돌을 던지는 상황을 가정하여, 파동의 진행이 장애물에 가로막혔을 때 휘어져 계속 진행한다는 것을 쉽게 설명하고 있다.

03 실
보기 는 실 전화기를 통해 소리가 전달되는 상황을 보여 주고 있다. 서준이의 목소리는 파동이 되어 실을 타고 성은이에게 전달되었으므로, 보기 에서 진동을 전달하는 매질은 '실'이다.

04 ③
#1문단 을 보면, 소리는 진동을 전달할 매질이 없으면 전달되지 않는다는 것을 알 수 있다. 한편 소리의 파동이 휘어져 계속 진행하는 특성을 소리의 회절이라고 하는데, 회절은 매질이 없을 때가 아니라 진행하던 파동이 장애물을 만났을 때 일어난다.

05 ③
보기 는 소리의 반사가 잘 일어나고 흡수가 적게 일어난다는 동굴의 특성을 활용하여 공연장을 만든 사례이다. 흡음재는 이와 반대로 반사를 줄이고 흡수가 잘 일어나게 하는 소재이므로, ③은 이 사례를 적절하게 이해한 내용이 아니다.
①, ②, ⑤ 동굴은 벽이 단단하고 천장과 벽으로 둘러싸여 있기 때문에 반사가 잘 일어나고 흡수는 잘 일어나지 않는다. 따라서 음악 소리가 많이 반사되어 길고 풍성하게 들렸을 것이다. ④ 음악 감상실의 사례를 볼 때, 소리가 정확하게 들리기 위해서는 반사가 적고 흡수가 많이 일어나야 한다. 따라서 동굴은 연설하기에 적합하지 않은 장소이다.

> **보기 돋보기**
> 소리가 반사되는 특성을 활용해 만든 동굴 공연장이다. 동굴이라는 특성과 공연장이라는 상황에 집중한다.

06 ④
㉠'그대로'와 ①, ②, ③, ⑤의 '그대로'는 모두 '변함없이 그 모양으로.'의 의미로 쓰였지만, ④의 '그대로'는 '그것과 똑같이.'의 의미로 쓰였다.

07 ⑤
|완벽 마스터 문제| **①** 성대 **②** 공기

04 우리 몸속 바이러스 전쟁

✓ 읽기 전 어휘 체크

01 (1) 항체 (2) 감염

(3) 면역 (4) 항원

02 ②

03 ①

문단별 핵심 태그

1문단

[# 바이러스]의 개념과
'바이러스'라는 이름의 유래

2문단

바이러스가 일으키는 대표적인
질병인 감기와 [# 독감]

3문단

바이러스를 막기 위한 우리 몸의
면역 체계 ① ― [# 눈물],
콧물, 위액의 기능

4문단

바이러스를 막기 위한 우리 몸의
면역 체계 ② ― [# 림프구]
의 종류와 기능

5문단

[# 바이러스]로부터 우리
몸을 지키기 위해 해야 하는
노력

문제 정답 및 해설

메인북 26~31쪽까지 정답이야!

독해 포인트　**1** 기생　**2** 독　**3** 점액　**4** 항체　**5** 킬러

01 ③

이 글은 우리 몸에 바이러스가 들어왔을 때, 우리 몸의 면역 체계가 어떠한 방식으로 이를 이겨 내는지 설명하고 있다. 이 글의 제목 '우리 몸속 바이러스 전쟁'은 이를 '전쟁'에 비유한 표현이다.

02 ③

이 글은 바이러스와 그에 맞서는 우리 몸의 면역 체계를 설명하고 있다. 이 글에는 감기에 걸렸을 때의 증상은 나타나 있지만 독감 증상은 나와 있지 않으며, 감기와 독감의 치료 방법도 제시하고 있지 않다.
① #1문단 에서 바이러스의 개념 및 그 어원을 설명하고 있다. ② #4문단 에서 림프구를 기능에 따라 B세포, T세포, NK세포로 분류하고 있다. ④ #3문단 에서 바이러스가 들어오는 경로를 막는 눈물, 콧물, 위액을 나열하고 있다. ⑤ #5문단 에서 바이러스로부터 건강을 지키기 위해 우리가 해야 할 일을 제시하고 있다.

03 ④

#1문단 에서 바이러스는 세균보다도 크기가 아주 작은 미생물이라고 하였다.

04 A: 코
　　B: 위액

콧물은 끈끈한 점액으로 되어 있어 코에 들어온 바이러스(병원체)를 점액으로 붙잡아서 몸 밖으로 흘려 내보낸다. 그리고 위에서 분비되는 위액은 음식물에 섞여 들어온 바이러스를 강한 산성으로 죽인다.

05 ③

#4문단 에서 우리 몸의 면역을 담당하는 림프구의 종류와 기능을 설명하고 있다. 그중 항체를 생성할 수 있는 것은 B세포이며, 이런 B세포에게 항체를 생성하라고 요청하는 것은 보조 T세포이다.

06 ④

'작용하다'는 '어떠한 현상을 일으키거나 영향을 미치다.'라는 뜻이다. ④의 문장에 들어갈 적절한 어휘는 '사람을 골라서 쓰다.'라는 의미의 '채용하다'이다.
①과 ㉠에서 '침투하다'는 '세균이나 병균 따위가 몸속에 들어오다.'의 뜻, ②와 ㉡에서 '분비하다'는 '샘세포에서 만든 액즙을 내보내다.'의 뜻, ③과 ㉢에서 '침입하다'는 '침범하여 들어가거나 들어오다.'의 뜻, ⑤와 ㉤에서 '감지하다'는 '느끼어 알다.'의 뜻으로 사용되었다.

07 ①

|완벽 마스터 문제| **1** 림프구　**2** 독감　**3** 접종

05 한국, 다문화 사회에 들어서다

메인북 32~37쪽까지 정답이야!

✓ 읽기 전 어휘 체크

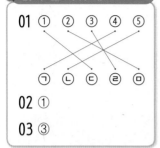

01 ① ② ③ ④ ⑤
   ㉠ ㉡ ㉢ ㉣ ㉤

02 ①

03 ③

#문단별 핵심 태그

1문단
한 나라 안에 여러 나라의 문화가
공존하는 [# 다문화]
사회가 된 한국

2문단
다문화 사회의 세 가지 모형 중
차별 배제 모형과
[# 동화 모형] 소개

3문단
문화 다원주의와
[# 다문화주의]로
나뉘는 다문화 모형 소개

4문단
[# 한국] 사회의 현재
상황으로 보아 다문화주의를
지향해야 할 필요성

문제 정답 및 해설

독해 포인트   1 직업   2 동화   3 민족   4 주류   5 공존

01 ③

이 글에서는 다문화 사회의 모형으로 차별 배제 모형, 동화 모형, 다문화 모형의 세 가지를 들고 있다. 다문화 모형은 다시 다문화주의 모형과 문화 다원주의 모형으로 나눌 수 있다.

02 ⑤

#1문단 에서 다문화 사회는 한 사회 안에 여러 나라의 문화가 공존하는 사회인데, 한국 사회는 이미 전체 인구인 4퍼센트에 해당하는 이백만여 명의 외국인이 함께 살아 간다고 하였다.

03 ④

#2문단 에서는 다문화 사회의 모형인 '차별 배제 모형'과 '동화 모형'을 설명하고 있다. ④는 '동화 모형'에 대한 설명이다. 동화 모형에서는 외국인과 이민자의 문화가 주류 문화와 똑같아져야 한다고 보고 있으므로 외국인과 이민자의 정체성을 무시한다는 문제점이 있다.

04 ④

주류 문화의 중요성을 강조하는 것은 ㉠ '문화 다원주의'이다. 주류 문화를 강조하지 않고 모든 문화의 동등성을 강조하는 것이 ㉡ '다문화주의'이다.

05 ④

글쓴이는 #4문단 에서 한국 사회가 지향해야 할 다문화 모형으로 다문화주의를 들고 있다. 하지만 성급하게 극단적인 정책을 시행할 것이 아니라, 장기적인 목표를 두고 적정한 수준의 다문화 정책을 세우고 단계별로 시행하자고 하고 있다.
ㄱ. 글쓴이는 한국의 다문화 정책을 누가 세워야 하는지에 대해서는 언급하지 않았다. ㄹ. 주류 문화가 있다는 것을 분명히 하자는 내용이므로 '다문화주의'가 아니라 '문화 다원주의'에 해당하는 내용이다.

06 동화 모형

보기 는 외국인과 이민자들의 언어와 종교, 즉 문화를 A국의 문화와 같게 만들려는 정책이다. 외국인과 이민자의 문화가 주류 사회의 문화와 같아져야 한다고 생각하는 것은 '동화 모형'이다.

07 ②

'다'를 떼어 냈을 때 나머지 단어가 '문화'처럼 뜻이 있는 하나의 말이 되어야 되어야 한다. ② '다달이'는 '다'와 '달이'로 나눌 수 없는 말로, '달마다'를 뜻하는 순우리말이다.
①은 '다 + 기능', ③은 '다 + 민족', ④는 '다 + 목적', ⑤는 '다 + 국적'으로 나눌 수 있다.

08 ④

|완벽 마스터 문제| ❶ 공존 ❷ 국가 ❸ 다문화주의

06 아동을 지키는, 유엔 아동 권리 협약

✓ 읽기 전 어휘 체크

01 ① ② ③ ④
　　 ㉠ ㉡ ㉢ ㉣

02 ②

03 (1) 유익한　(2) 유해한

#문단별 핵심 태그

1문단

[# 　인권　]의 의미 ─
인간으로서 당연히 가지는
기본적 권리

2문단

유엔 아동 권리 협약의 보호
대상 ─ [# 　어린이　]와
18세 미만의 청소년

3문단

유엔 아동 권리 협약 ① ─
[# 　생존　]의 권리와
보호의 권리 설명

4문단

유엔 아동 권리 협약 ② ─
[# 　발달　]의 권리와
참여의 권리 설명

문제 정답 및 해설

메인북 38~43쪽까지 정답이야!

독해 포인트　❶ 인권　❷ 헌법　❸ 보호　❹ 참여

01 ④

#1문단 에서 나라마다 헌법의 내용은 다르지만 기본권은 보편적인 인권 사상에 기초하기 때문에 그 내용이 비슷하다고 하였으므로, 나라마다 법으로 보장하는 인권의 범위의 차이가 크다는 것은 적절하지 않다.

02 (1) ㉣
　　 (2) ㉠
　　 (3) ㉢
　　 (4) ㉡

(1)은 아동이 단체나 모임에 가입할 수 있다는 내용이므로 '참여의 권리'에, (2)는 아동의 기본적인 삶과 관련되므로 '생존의 권리'에, (3)은 여가와 문화생활과 관련되므로 '발달의 권리'에, (4)는 정부가 아동을 보호해야 한다는 내용이므로 '보호의 권리'에 해당한다.

03 ④

#2문단 에서 '유엔 아동 권리 협약'은 유엔이 정한 협약으로 아동을 보호의 대상이자 인권을 가진 존재로 규정하고 있다.
① '유엔 아동 권리 협약'은 어린이와 18세 미만의 청소년을 대상으로 한다. ② '유엔 아동 권리 협약'은 아동의 의무가 아니라 권리만을 제시하고 있다. ③ '유엔 아동 권리 협약'은 헌법에서 보장하는 기본권과 아동으로서 보장받아야 할 권리를 포함하고 있다. ⑤ '유엔 아동 권리 협약'은 1989년 11월 20일에 유엔에서 만장일치로 채택되었고, 우리나라도 이를 지킬 것을 약속하였다.

04 ⑤

군대에 끌려가는 것은 A가 아동에게 유해한 것에서 보호받을 권리인 '보호의 권리'를 보장받지 못한 것이다.
① 교육을 받게 되었으므로 '발달의 권리'를 찾게 된 것이다. ② A는 13살이므로 '유엔 아동 권리 협약'에 의해 권리를 보장받아야 할 나이이다. ③ A가 먹을 것을 구해야 하는 상황이었다는 것에서 '생존의 권리'를 보장받지 못했음을 알 수 있다. ④ A의 아픈 여동생이 기본적인 의료 서비스도 받지 못하고 있었으므로 '생존의 권리'를 보장받지 못한 것이다.

05 권리

이 글에서는 어린이와 청소년에게는 인간으로서 당연히 누려야 할 인권이 있으며, 아동이기에 보장받아야 할 권리 역시 있다고 설명하고 있다.

06 ①

|완벽 마스터 문제|　❶ 잠재력　❷ 부모

07 경제 활동의 필수품, 화폐

✓ 읽기 전 어휘 체크

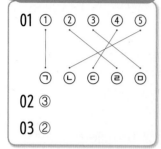

01　①　②　③　④　⑤
　　　㉠　㉡　㉢　㉣　㉤

02　③

03　②

#문단별 핵심 태그

1문단
화폐의 소개 — [#　경제　]
활동의 주요 수단인 화폐

2문단
화폐의 기능 ① — 화폐를
매개로 상품을 거래할 수 있는
[# 교환 매개]의 기능

3문단
화폐의 기능 ② — 상품의
가치를 가격으로 알려 주는
[# 가치 척도]의 기능

4문단
화폐의 기능 ③ — 상품의
가치를 유지하고 축적하게 하는
[# 가치 저장]의 기능

5문단
[#　화폐　]의 변천 과정 —
상품 화폐, 금속 화폐, 종이 화폐,
신용 화폐로의 발전 과정

문제 정답 및 해설

메인북 44~49쪽까지 정답이야!

독해 포인트　**1** 매개　**2** 가치　**3** 금속　**4** 신용

01 상품 화폐

02 ④

03 ②

04 ⑤

05 ①

06 ③

07 ①

#5문단의 내용으로 보아 초기의 화폐는 쌀, 소금, 가죽처럼 물건 그 자체에 가치가 내재되어 있는 상품 화폐임을 알 수 있다.

화폐는 교환 매개의 기능(ㄹ), 가치 척도의 기능(ㄱ), 가치 저장의 기능(ㄴ)을 한다. 화폐는 상품의 가치를 화폐로 나타냄으로써, 상품의 가격을 알려 주는 기준이 된다. 그러나 한 상품의 가격을 일정하게 유지해 주지는 않는다.

#1문단에서 우리는 화폐를 통해 재화와 서비스 같은 생산물과 노동력이나 토지와 같은 생산 요소를 거래할 수 있다고 하였다.

'신용 화폐'의 종류에는 수표나 신용 카드가 있는데, 상품의 대가를 그 자리에서 바로 지불하는 것이 아니라 지정한 날짜에 지불할 수 있도록 한 화폐이다.
① '상품 화폐'는 쌀, 소금, 가죽 등 물건 그 자체이므로 특히 큰 대가를 지불하려면 옮기는 것도 쉽지 않았을 것이다. ②, ③ '종이 화폐'는 종이에 화폐가 지닌 가치를 금액으로 인쇄한 것으로 가볍고 들고 다니기에 편하다. ④ '금속 화폐'는 금이나 은 같은 금속을 이용하여 화폐를 만들기 때문에 금속 자체가 비싸면 화폐를 만들 때 돈이 많이 들어갈 수 있다.

보기의 상황은 화폐가 존재하지 않을 때 물물 교환을 하는 상황이다. 수박이나 참외가 상품 화폐가 되려면 모든 사람들이 수박이나 참외를 가지고 상품을 사고팔 수 있어야 한다.
②, ③ A는 참외 두 개와 수박 한 개, B는 참외 다섯 개와 수박 한 개의 가치가 같다고 생각하고 있다. 이와 같이 교환하려는 대상의 가치가 서로 다르면 분쟁이 일어날 수 있다. ④, ⑤ 화폐를 사용하면 원하는 물건을 서로 가진 사람을 만나지 않더라도 화폐를 매개로 상품을 거래할 수 있고, 상품의 가치를 가격으로 분명히 나타낼 수 있다.

'훼손되다'는 '헐리거나 깨져 못 쓰게 되다.'라는 뜻이다. 문맥을 고려할 때, 사과를 창고에 오래 저장해 두면 사과의 가치가 떨어진다는 의미이므로 ㉠ '훼손될'은 '낮아질'로 바꾸어 쓰는 것이 적절하다.

|완벽 마스터 문제| **1** 시간　**2** 토지

08 고통을 전이하는 관습

메인북 50~55쪽까지 정답이야!

✔ 읽기 전 어휘 체크

01 ① ② ③ ④ ⑤

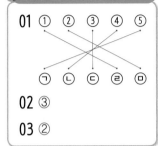

ㄱ ㄴ ㄷ ㄹ ㅁ

02 ③

03 ②

#문단별 핵심 태그

1문단

[# 문명화]가 이뤄지지 않은 부족에게서 발견할 수 있는 고통을 전이하는 관습

2문단

고통을 전이하는 관습의 유형 ① ― 다른 [#사람(인간)]에게 전이하는 경우

3문단

고통을 전이하는 관습의 유형 ② ― [# 동물]에게 전이하는 경우

4문단

고통을 전이하는 관습의 유형 ③ ― [# 사물]에 전이하는 경우

5문단

인류의 공통적인 사고방식이라고 추측할 수 있는 [# 고통]을 전이하는 관습

문제 정답 및 해설

독해 포인트 1 매개체 2 동물 3 사물 4 속설

01 ①

#1문단 의 마지막 부분에서 고통을 전이하는 대상에 따라 관습의 유형을 나누어 볼 수 있다고 하였다. #2문단 에서는 다른 사람에게 전이하는 관습을, #3문단 에서는 동물에게 전이하는 관습을, #4문단 에서는 사물에 전이하는 관습을 살펴보고 있다.

02 ①

#2문단 ~ #4문단 의 사례를 보면 고통을 전이하는 관습은 아픈 사람의 병을 치료하기 위해 또는 피로를 없애기 위해 고통을 다른 대상에게 전이하고 있다는 것을 알 수 있다.

03 ②

ㄱ '스리랑카 실론 섬의 한 부족'의 예에서 고통을 전이받은 대상은 춤꾼으로, 춤꾼은 병을 가지고 마을 밖으로 옮겨진다. 그러나 ㄴ '우간다의 바히마족'의 예에서 고통을 전이받는 대상은 종기를 문지른 약초를 처음 밟는 사람인데, 이 사람이 마을 밖으로 옮겨진다는 내용은 나타나지 않는다.
①, ④ ㄱ과 ㄴ은 모두 고통을 다른 사람에게 전이하지만, ㄱ은 사람에게 직접, ㄴ은 매개체를 통해 고통을 전이한다는 점이 다르다. ③ ㄱ의 관습은 목숨이 위태로울 정도로 큰 병을, ㄴ의 관습은 악성 종기를 전이한다고 하였다. ⑤ ㄱ의 관습에서 춤꾼은 일부러 병을 옮겨 받지만, ㄴ의 관습에서 약초를 밟은 사람은 원치 않아도 종기를 가져가게 된다.

04 ⑤

#5문단 에서 문명화가 이뤄지지 않은 부족의 고통을 전이하는 관습을 연구하면 현대까지 전해진 민간 속설들이 어디에서 비롯되었는지 알 수 있고, 그러한 관습이 여러 민족과 문화를 초월하는 인류의 공통적인 사고방식임을 추측할 수 있다고 하였다.

05 ②

보기 는 #2문단 의 바히마족처럼 매개체를 통해 고통을 다른 사람에게 전이하는 관습의 예이다. 보기 에서 고통은 다래끼, 고통을 전이하는 매개체는 돌, 고통을 가져가는 사람은 돌을 발로 찬 사람이다.

06 ⑤

ⓔ '인접하다'는 '이웃하여 있다. 또는 옆에 닿아 있다.'라는 뜻이다. 그러므로 '인접하지 않은'은 '옆에 있지 않은'이나 '가까이 있지 않은'으로 바꾸어 쓰는 것이 적절하다.

07 ⑤

| 완벽 마스터 문제 | ❶ 피 ❷ 악마 춤 ❸ 나뭇잎

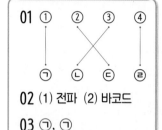

09 일상생활 속 RFID 기술

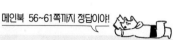메인북 56~61쪽까지 정답이야!

읽기 전 어휘 체크

01 ① ② ③ ④

      ㉠ ㉡ ㉢ ㉣

02 (1) 전파 (2) 바코드

03 ㉠, ㉠

#문단별 핵심 태그

1문단

[#   전파   ]를 이용해 정보를 전달하는 무선 주파수 인식 기술, RFID

2문단

RFID를 구성하는 장치인 [#   태그   ], 리더기, 컴퓨터와 각각의 역할

3문단

빛을 이용하는 [#   바코드   ] 와 달리 전파를 이용하는 RFID의 장점

4문단

일상생활에서 널리 쓰이는 [#   RFID   ] 기술

5문단

무선 통신 기술인 NFC 기술과 [#   MST   ] 기술의 장점과 단점

문제 정답 및 해설

독해 포인트   **1** 전파   **2** 태그   **3** 출입   **4** 물류

01 ②

이 글은 무선 주파수 인식 기술인 RFID 기술에 대해 설명하고, 일상생활에서 어떻게 활용되고 있는지를 구체적인 사례를 통해 살펴보고 있다.

02 MST

MST는 자기장을 일으켜 정보를 전달하기 때문에 기존의 마그네틱 카드 리더기에서 사용할 수 있는 장점이 있지만, 보안에 취약하다는 단점이 있다.

03 ④

RFID는 태그, 리더기, 컴퓨터 등의 장치로 실현된다. 이 중 리더기는 태그로부터 받은 정보를 해독하여 컴퓨터로 보내는 역할을 하는 장치이다. 따라서 RFID에서 리더기 없이 태그에서 컴퓨터로 정보를 전달하는 것은 불가능하다.

① **#3문단** 에서 알 수 있듯이, 정보 전달에 빛을 이용하는 것은 RFID가 아닌 바코드이다. ② **#1문단** 에서 알 수 있듯이, RFID는 직접적인 접촉 없이 전파를 이용해 정보를 전달한다. ③ **#3문단** 에서 알 수 있듯이, RFID는 태그와 리더기 사이에 물체가 있더라도 이를 통과하여 정보를 수신할 수 있다. ⑤ **#3문단** 에서 알 수 있듯이, RFID는 한 리더기로 여러 개의 태그를 동시에 인식할 수 있다.

04 ④

RFID 리더기인 D는 A에 들어 있는 태그에 전파의 형태로 무선 신호를 보내고, 이에 반응한 태그에서 정보를 받으면 그 정보를 해독한 후 E의 컴퓨터로 보내는 역할을 한다. 즉 정보를 저장하고 있는 것은 A의 태그이며, D는 A가 보낸 정보를 컴퓨터에 전달하는 역할을 한다.

05 ④

흰색과 검은색의 줄무늬로 이루어진 바코드는 빛을 이용한 무선 통신 기술로, 전파를 이용하는 RFID 기술과는 다르다.

06 ②

'초소형'에 쓰인 '초-'는 한자 '뛰어넘을 초(超)'가 쓰인 것으로 '어떤 범위를 넘어선' 또는 '정도가 심한'의 뜻을 더하는 말이다. 그런데 한자 '처음 초(初)'가 쓰이면 '처음'의 뜻을 더하게 된다. ② '초저녁'은 날이 어두워진 지 얼마 되지 않은 때로 '처음'의 뜻이다.

① '초능력'은 현대 과학으로는 합리적으로 설명할 수 없는 초자연적인 능력, ③ '초만원'은 사람이 정원을 넘어 더할 수 없이 꽉 찬 상태, ④ '초고층'은 건물의 층수가 매우 많은 것, ⑤ '초고속'은 극도로 빠른 속도를 뜻하므로 '초-'가 '어떤 범위를 넘어선' 또는 '정도가 심한'의 뜻으로 쓰였다.

07 ④

|완벽 마스터 문제| **1** 리더기 **2** 바코드 **3** 무선

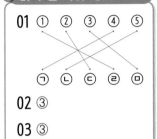

10 무엇이든 만들어요, 3차원 프린터

메인북 62~67쪽까지 정답이야!

✅ 읽기 전 어휘 체크

01 ① ② ③ ④ ⑤

ⓐ ⓑ ⓒ ⓓ ⓔ

02 ③

03 ③

#문단별 핵심 태그

1문단
최근에 일반 사무실이나
가정에서도 쉽게 접할 수 있는
3차원 [# 프린터]

2문단
3차원 프린터의 특징 ―
[# 입체]로 된
물건을 출력할 수 있음

3문단
3차원 프린터의 장점 ―
제품 제작 [# 시간]과
비용이 줄고, 제품 수정이 쉬움

4문단
3차원 프린터의 활용 분야 ―
[# 의료] 분야, 우주
항공 분야, 식품 분야

5문단
[# 3차원] 프린터 기술이
발달하면서 점점 더 많은
분야에서 활용되고 있음

문제 정답 및 해설

독해 포인트 **1** 입체 **2** 이미지 **3** 의료 **4** 푸드

01 ②

이 글에서 2차원 프린터의 출력 방식이나 사용되는 재료는 확인할 수 있지만, 2차원 프린터가 어떻게 발전되어 왔는지는 나와 있지 않으므로 확인할 수 없다.
①은 #3문단, ③은 #2문단, ④는 #4문단, ⑤는 #1문단에서 확인할 수 있다.

02 ④

3차원 프린터는 재료 자체를 얇게 쏘아서 층층이 쌓아 올려 결과물을 만들어 낸다. 잉크나 레이저를 종이에 인쇄하여 결과물을 만드는 것은 3차원 프린터가 아니라 2차원 프린터이다.

03 ③

#4문단에서 우주 항공 분야에서는 다양한 장비를 만드는 데 3차원 프린터를 활용한다고 하였다. 도면은 만들 물건이나 건물의 구조나 설계를 선과 기호를 사용하여 나타낸 그림으로, 제작 전에 작성한다. 3차원 프린터는 이미 작성된 도면에 따라 물건을 만들므로, 항공 분야에서 3차원 프린터로 로켓 도면을 제작한다는 것은 적절하지 않다.

04 ⑤

3차원 프린터는 이미 완성된 모양을 출력해 내므로 덩어리를 자르거나 깎을 필요가 없어서 폐기물도 줄일 수 있고, 재료에 들어가는 비용도 아낄 수 있다고 하였다.

05 ③

글쓴이는 #5문단에서 3차원 프린터가 우리가 쉽게 접근할 수 있는 방향으로 기술 발전이 이뤄지고 있고(ㄹ), 그 3차원 프린터의 시장이 매년 크게 성장하고 있다(ㄱ)고 보고 있다.

06 ⑤

'빛을 발하다'는 '제 능력이나 값어치를 드러내다.'라는 의미를 가진 관용 표현이다. 따라서 가장 비슷한 의미를 가진 어휘는 '겉으로 뚜렷하게 드러나다.'라는 뜻을 가진 '두드러지다'이다.
① '다양해지다'는 '모양, 빛깔, 형태가 여러 가지로 많아지다.'라는 말이다. ② '정확해지다'는 '바르고 확실해지다.'라는 말이다.
③ '복잡해지다'는 '일이 갈피를 잡기 어려울 만큼 여러 가지가 얽혀지다.'라는 말이다. ④ '새로워지다'는 '전과 달리 생생하고 산뜻하게 느껴지게 되다.'라는 말이다.

07 ⑤

|완벽 마스터 문제| **1** 디자인 **2** 인공 **3** 암석

11 두 번 데우는 콘덴싱 보일러

✅ 읽기 전 어휘 체크

01 ① ② ③ ④

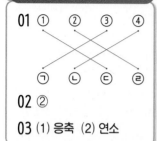

    ㉠   ㉡   ㉢   ㉣

02 ②

03 (1) 응축 (2) 연소

#문단별 핵심 태그

1문단
최근에 인기를 끌고 있는
콘덴싱 [# 보일러]의
작동 원리에 대한 궁금증

2문단
내부의 물을 데운
[# 배기가스]가 그냥
배출하는 일반 보일러

3문단
[# 잠열] 교환기를
장착하여 배기가스를 다시
사용하는 콘덴싱 보일러

4문단
열효율이 높아 [# 비용]
절감 효과를 볼 수 있는 콘덴싱
보일러

5문단
[# 공기] 비례 제어
기술을 채택하여 효율성이 높고
친환경적인 콘덴싱 보일러

문제 정답 및 해설

메인북 68~73쪽까지 정답이야!

독해 포인트   **1** 버너   **2** 배기가스   **3** 잠열   **4** 열효율

01 ④

이 글은 콘덴싱 보일러의 작동 원리를 일반 보일러와 비교하여 그 장점을 밝히고 있다. 콘덴싱 보일러가 어떻게 개발되어 어떠한 방식으로 발전해 나갔는지에 대한 기록을 다루고 있지는 않다.

02 ④

#5문단 에서 콘덴싱 보일러의 강점을 고효율, 친환경이라는 두 단어로 압축하여 제시하고 있다.

03 ②

㉠ '일반 보일러'는 180도라는 고온의 배기가스를 그냥 배출하지만, ㉡ '콘덴싱 보일러'는 이를 한 번 더 활용하여 50~60도로 온도가 낮아진 배기가스를 배출한다.
① 잠열 교환기를 가지고 있는 것은 콘덴싱 보일러이다. ③ 연료 비례 제어 기술은 일반 보일러에 적용되어 있다. ④ 기체가 액체로 응축되는 현상을 콘덴싱이라고 하므로, 콘덴싱 보일러에 대한 설명이다. ⑤ 전통적인 난방 방식은 구들(온돌)을 가리킨다. ㉠, ㉡과 같은 보일러는 최근에 사용되는 난방 방식이다.

04 A: 연료
      B: 공기

콘덴싱 보일러의 '공기 비례 제어 기술'은 공기의 세기나 외부의 조건에 상관없이 연소가 가장 잘 되는 환경을 만들어, 연소 효율도 높이고 유해 가스 배출도 줄인다고 하였다. 반면 일반 보일러의 '연료 비례 제어 기술'은 공기의 양과는 상관없이 설정 온도에 따라 연료만 많이 쓰게 되므로 연소 효율도 낮고 유해 가스도 많이 배출한다고 하였다.

05 ⑤

#5문단 에서 콘덴싱 보일러는 최적의 연소 환경을 만들어 일반 보일러에 비해 유해 가스 배출을 줄인다고 하였다.

> 보기 👀 돋보기
> 콘덴싱 보일러의 작동 원리를 나타낸 것으로, ㄱ에서 ㅁ으로의 과정이 아래에서 위를 향해 진행된다는 것에 유의한다.

06 ①

ⓐ 앞의 내용으로 보아 ⓐ에는 콘덴싱 보일러를 긍정적으로 바라보는 어휘가 들어가야 한다. 그러므로 '남보다 우세하거나 더 뛰어난 점.'을 뜻하는 '강점'이나, '좋거나 잘하거나 긍정적인 점.'을 뜻하는 '장점'이 들어가는 것이 적절하다.
② '단점'은 '잘못되고 모자라는 점.'을, ③ '결점'은 '잘못되거나 부족하여 완전하지 못한 점.'을, ④ '약점'은 '잘못되거나 부족하여 완전하지 못한 점.'을, ⑤ '허점'은 '불충분하거나 허술한 점.'을 뜻한다.

07 ③

|완벽 마스터 문제| **1** 공기   **2** 액체   **3** 배기가스

12 옻칠의 매력은 어디에 있을까

메인북 74~79쪽까지 정답이야!

✔ 읽기 전 어휘 체크

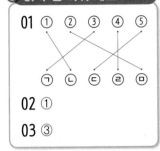

01 ① ② ③ ④ ⑤
　　ㄱ ㄴ ㄷ ㄹ ㅁ

02 ①

03 ③

#문단별 핵심 태그

1문단
[# 옻칠]의 쓰임새와
옻칠을 제작하는 방법

2문단
옻칠이 널리 쓰인 까닭 ①
— [# 옻칠]은 구하기
쉬운 재료임

3문단
옻칠이 널리 쓰인 까닭 ②
— 옻칠은 인체에 무해한
[# 천연] 재료임

4문단
옻칠이 널리 쓰인 까닭 ③
— 옻칠은 [# 내구성]이
뛰어난 재료임

5문단
옻칠이 사용되는 분야 및 옻칠과
[# 화학] 도료의 비교

문제 정답 및 해설

독해 포인트　❶ 옻나무　❷ 중금속　❸ 부식　❹ 색깔

01 ⑤

#5문단에서는 옻칠을 현대 기술과 접목한다면 옻칠의 매력이 더욱 빛을 발할 것이라며 옻칠의 미래를 밝게 보고 있다. 옻칠을 현대 기술과 접목하는 구체적인 방법은 제시되어 있지 않다.

02 ①

싼 가격으로 다양한 색깔을 넣어 만들 수 있는 것은 화학 도료이다. #5문단에서 옻칠의 한계를 제시하고 있다.

03 ②

#5문단에서 옻칠이 화학 도료에 비해 대량으로 생산되지 않는 한계가 있다고 하였다. 이처럼 비교되는 두 대상이 나올 경우 각각의 특징을 반대로 서술하는 선지가 나올 수 있으므로 주의해야 한다.

04 ③

#3문단에서 옻칠은 한 번에 끝내는 것이 아니라 여러 번 칠한다고 하였다. 이처럼 옻칠은 여러 번 칠한 후에 광택을 내는 과정과 기름칠을 없애는 과정 등 여러 과정을 거쳐야 완성된다는 것을 알 수 있다.

05 (1) 방염
　　(2) B

#4문단의 실험 결과로 보아 옻칠은 방염 효과가 뛰어나 화학 도료로 칠을 했을 때보다 불이 붙는 시간을 5~6배 늦출 수 있다.

> 보기 ◌◌ 돋보기
> 나무판에 칠한 도료의 성질에 따라 불이 붙는 속도가 달라지는 것을 실험한 내용이다. 니스는 화학 도료이고, 옻칠은 천연 도료임을 확인한다.

06 ④

'천연'은 '사람의 힘을 가하지 아니한 상태.'의 의미이고, '인공'은 '사람의 힘으로 자연에 대하여 가공하거나 작용을 하는 일.'의 의미이므로 반의 관계의 어휘이다.
①은 '겨울'이 '계절'에 포함되는 관계이고, ②는 '직업'에 '선생님'이 포함되는 관계이다. ③ '흑색'과 '검은색' ⑤ '잠그다'와 '닫아걸다'는 유사한 의미를 가진 어휘 관계이다.

|완벽 마스터 문제| ❶ 금속 ❷ 수액

07 ②

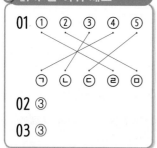

13 인간의 네 가지 유형

✓ 읽기 전 어휘 체크

01 ① ② ③ ④ ⑤

　　㉠ ㉡ ㉢ ㉣ ㉤

02 ③

03 ③

#문단별 핵심 태그

1문단
어떤 [# 성향]이
더 강한지에 따라 인간형을
분류하는 벨라비스타 이론

2문단
[# 사랑]의 인간형과
자유의 인간형에 속하는
사람들의 특징

3문단
사랑의 성향과 자유의 성향을
모두 긍정적으로 보는
[# 벨라비스타] 이론

4문단
벨라비스타 이론의 영역별 특징
① ― 현자의 영역과
[# 교황]의 영역

5문단
벨라비스타 이론의 영역별 특징
② ― [# 폭군]의
영역과 반항아의 영역

문제 정답 및 해설

메인북 80~85쪽까지 정답이야!
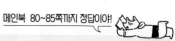

독해 포인트 　**1** 사랑 　**2** 자유 　**3** 현자 　**4** 질투심 　**5** 반항아

01 ①

#1문단 과 #2문단 에서는 벨라비스타 이론이 무엇인지 소개하고 있으며, #3문단 에서는 벨라비스타 이론에서 말하는 두 가지 성향 모두를 긍정적인 것으로 여긴다며 그 독창성을 설명하고 있다.

02 ③

㉡ '자유의 인간형'인 사람이 지키려 하는 것은 자신의 자유이다. 타인과의 관계를 중시하는 것은 ㉠ '사랑의 인간형'이다.
①, ② 사랑의 인간형은 사랑의 성향이 더 강하게 나타나는 인간형으로, 이 유형에 속하는 사람에게 사랑은 생존을 위한 필수 조건이다. ④ 자유의 인간형은 자유의 성향이 더 강하게 나타나는 인간형으로, 이 유형에 속하는 사람은 자신의 생활 공간을 중요하게 여긴다. ⑤ 사랑을 추구하는 성향과 자유를 추구하는 성향의 비율에 따라 인간은 다양한 성향을 나타낸다고 하였다.

03 교황의 영역

준우는 우진이가 다른 친구와 친하게 지내는 것을 질투하고, 자기가 하자는 대로 하길 원한다. 이처럼 질투심이 많아 상대를 자신의 지배하에 두고 싶어 하는 것은 '교황의 영역'에 속한 사람의 특징이다.

04 ②

현자의 영역은 사랑과 자유를 동시에 지니는 영역이므로 B에 해당한다.

━━ 보기 👀 돋보기 ━━
A는 증오와 자유가 섞여 있는 반항아의 영역, C는 증오와 권력을 공유하는 폭군의 영역, D는 사랑과 권력을 동시에 지닌 교황의 영역이다.

05 ⑤

벨라비스타 이론에서 가로축인 사랑을 왼쪽으로 확장하면 증오가, 세로축인 자유를 아래쪽으로 확장하면 권력이 된다. 이렇게 나눈 네 가지 영역에 해당하는 인간 유형을 설명하고 있을 뿐, E와 같이 정가운데에 있는 인간 유형에 대해서는 다루지 않았다.

06 ⑤

'갈구'는 '간절히 바라며 구함.', '갈망'은 '간절히 바람.'이라는 뜻으로 비슷한 의미의 어휘이다. ⑤의 '의지하다'는 '다른 것에 마음을 기대어 도움을 받다.'라는 뜻이고, '의존하다'는 '다른 것에 의지하여 존재하다.'라는 뜻으로 비슷한 의미의 어휘이다.
①, ②, ④는 반대 의미의 어휘이며, ③은 '코끼리'가 '동물'에 포함된다.

07 ①

|완벽 마스터 문제| 　**1** 성향 　**2** 사랑 　**3** 모순

14 무의식이 반영되는 착오 행위

읽기 전 어휘 체크

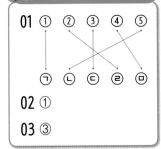

01 ① ② ③ ④ ⑤
   ㉠ ㉡ ㉢ ㉣ ㉤

02 ①

03 ③

#문단별 핵심 태그

1문단
의식하지 못하는 상태에서
자신의 의도와 다른 행위를 하는
현상인 [# 착오 행위]

2문단
착오 행위의 사례 ① — 회의
시작을 알리는 대신 마치겠다고
말한 [# 사회자]

3문단
착오 행위의 사례 ② —
아내가 준 [# 책]을
어디에 두었는지 잊어버린 남편

4문단
착오 행위를 탐구하여 인간의
[# 무의식]의 존재를
밝혀낸 프로이트

문제 정답 및 해설

독해 포인트 1 의도 2 건망증 3 방해 4 원인

01 (1) 쓰기 착오
(2) 말하기 착오
(3) 건망증
(4) 읽기 착오

#1문단 에서는 착오 행위의 개념 및 말하기 착오, 읽기 착오, 쓰기 착오, 건망증 같은 착오 행위의 종류를 소개하고 있다. (1)은 생각했던 글자가 아닌 다른 글자를 잘못 쓰고 있는 사례이고, (2)는 말하려던 내용이 아니라 다른 말을 잘못 하고 있는 사례이다. (3)은 사람의 이름이나 물건을 둔 곳을 잊어버리는 사례이고, (4)는 원래 글자가 아닌 다른 글자로 잘못 읽고 있는 사례이다.

02 ③

#3문단 에서 아내가 준 책을 둔 곳을 잊어버린 남자의 사례를 보면, 착오 행위를 일으키게 된 무의식적 원인이 사라지면 그로 인해 생겼던 착오 행위도 사라짐을 알 수 있다.

03 말하기 착오

착오 행위에는 말하기 착오, 읽기 착오, 쓰기 착오, 건망증 등이 있다. 사회자는 원래 하려던 말과 다른 말을 했으므로 엉뚱한 다른 말을 하게 되는 말하기 착오를 보인 것이다.

04 ④

㉠은 무의식에 의해 착오 행위가 발생한 상황에만 해당한다. 그런데 ㉡은 아내를 싫어했던 마음으로 인해 발생했던 착오 행위(건망증)가 아내에 대한 마음이 바뀌자 사라지게 된 상황으로, 착오 행위의 발생과 사라지는 상황이 모두 포함되어 있다.
① ㉠과 ㉡은 모두 무의미한 실수가 아니라 그 자체가 어떤 뚜렷한 동기와 의미를 가지고 있는 심리적 행위이다. ② ㉠과 ㉡ 모두 무의식적 의도가 착오 행위의 원인이 되었다. ③ ㉠은 프로이트가 겪은 일이고, ㉡은 프로이트가 자신을 찾아온 한 남자에게 들은 이야기이다. ⑤ ㉠에서 착오 행위를 보인 사람은 '사회자'이고, ㉡에서 착오 행위를 보인 사람은 '남편'이다.

05 ⑤

지예는 수아가 평소에 자신을 얕본다고 부정적으로 생각하고 있다. 이러한 부정적인 무의식 때문에 착오 행위가 발생하여 수아와 연관된 물건을 어디에 두었는지 잘 잊어버리게 되었을 것이다.

06 ①

ⓐ '마치겠습니다'는 회의를 끝나게 하겠다는 의미로, ②~⑤와 바꾸어 쓸 수 있다. ① '열겠습니다'는 회의를 시작하겠다는 의미이다.

07 ④

|완벽 마스터 문제| 1 착오 2 무의식 3 실수

15 역사를 연구하는 두 가지 방법

✔ 읽기 전 어휘 체크

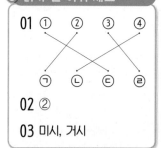

02 ②

03 미시, 거시

#문단별 핵심 태그

가
역사 연구의 분류 — 서술
대상에 따라 [# 거시사]
연구와 미시사 연구로 나뉨

나
거시사 연구의 사료 —
[# 정부] 문서와 같은
공식 기록들

다
미시사 연구의 사료 —
수첩, [# 일기]와 같은
개인적인 자료들

라
[# 미시사] 연구의 사례
— 제이 차 세계 대전 당시
군수 공장에서 일하던 노동자들

마
두 역사 연구 방법의 장단점 및
[# 역사] 연구를 위한
바람직한 관계

문제 정답 및 해설

메인북 92~97쪽까지 정답이야!

독해 포인트 **1** 구조 **2** 공식 **3** 일기 **4** 이론

01 ⑤

이 글에서 거시사 연구의 구체적인 사례는 나타나지 않는다. **#마**에서는 거시사 연구와 미시사 연구의 장단점을 비교하고, 바람직한 역사 연구 방법에 대한 글쓴이의 견해를 제시하고 있다.

02 ③

#다를 통해 과거의 평범한 사람들의 삶을 추적하고, 이를 통해 당시 사회적 분위기나 생활 모습을 해석하고자 한 역사 연구는 미시사 연구임을 알 수 있다.

03 ⑤

#마에서는 거시사 연구의 장단점과 미시사 연구의 장단점을 살펴보며, 두 연구 방법은 서로의 단점을 보완할 수 있다고 하였다. 그리하여 글쓴이는 역사의 전체적인 모습을 파악하기 위해서는 역사 연구가 상호 보완적인 관계를 이루는 것이 적절하다고 보고 있다.

04 ④

#나에서 ㉠ '거시사 연구'는 공식 기록들을 바탕으로 역사적 이론을 체계화하는데, 이때 이론에 들어맞지 않는, 즉 역사적 이론으로 설명할 수 없는 개별적인 현상은 무시한다고 하였다.
① ㉠ '거시사 연구'의 딱딱한 이론 같은 진술은 대중을 역사와 멀어지게 만든다. ② ㉠ '거시사 연구'는 정치, 경제, 사회의 전체적인 구조를 연구하므로, 역사를 구조적인 측면에서 체계적으로 파악할 수 있게 해 준다. ③ ㉡ '미시사 연구'는 실제로 생활했던 개인의 삶을 보여 주므로 대중이 역사를 가깝게 느끼도록 한다. ⑤ ㉡ '미시사 연구'를 통해 복원된 개인의 삶에서는 역동성과 구체성을 느낄 수 있다.

05 ②

#다에서 미시사 연구자들은 개인적인 사료를 통해 거시사 연구에서 주목받지 못했던 평범한 사람들의 삶을 추적하여 당시 사회적 분위기나 생활 모습을 해석한다고 하였다. 한편 육이오 전쟁의 전개 과정 전체를 체계적으로 파악할 수 있다는 반응은 육이오 전쟁을 거시사적으로 연구했을 때 적합한 반응이다.

> **보기 돋보기**
> 일기를 사료로 삼은 점, 당대 사람들의 반응과 생활상 등을 살펴본다는 점에서 미시사 연구의 사례임을 알 수 있다.

06 ⑤

ⓐ '들어맞지'는 정확히 맞는 경우를 이를 때 쓰는 어휘이다. ⑤는 돈이 모자라면 안 되는 상황이므로 계산이 들어맞지 않는 상황이다. '계산이 틀렸나 봐.' 정도로 써야 적절하다.

07 ④

|**완벽 마스터 문제**| **1** 미시사 **2** 거시사 **3** 국가

16 앎과 실천의 관계를 논하다

✔ 읽기 전 어휘 체크

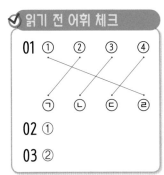

01 ① ② ③ ④
　　ㄱ　ㄴ　ㄷ　ㄹ

02 ①

03 ②

#문단별 핵심 태그

가
조선 성리학자들의 지행론
— [# 지]와 행이
함께 나아가야 한다는 지행병진

나
18세기 실학자 홍대용의
[# 지행론] —
지행병진을 전제하나
행이 지보다 중요함

다
19세기 학자 최한기의 지행론
① — [# 선행후지]로
행을 지보다 우선시함

라
19세기 학자 최한기의 지행론
② — 행([# 실천])을
통해 지(앎)가 확충된다고 봄

마
학자들의 학문 목표에 따라
서로 다른 [# 지행론]의
변화 과정

문제 정답 및 해설

독해 포인트　1 지행병진　2 행　3 선행후지　4 수양

01 ⑤

이 글은 조선 시대 지행론에 대한 성리학자들, 18세기 실학자 홍대용, 19세기 학자 최한기의 입장을 소개하고, 그들 간의 입장의 차이는 학자들마다 추구하는 학문 목표가 달랐기 때문이라고 그 배경을 설명하고 있다.

02 ①

#나 에서 홍대용이 지보다 행을 중요하게 여겼다는 사실을 알 수 있고, #다 에서 최한기가 행이 지보다 우선적인 것이라고 했다는 사실을 알 수 있다. 즉, 홍대용과 최한기는 지보다 행을 중시한 것이다.
② 홍대용은 지행병진을 전제로 하되, 민생을 풍요롭게 하는 것과 같은 사회적 실천의 측면에서 행을 바라보았으므로, 지의 대상을 실용적 측면으로 확장했다고 볼 수 있다. ③ 최한기는 생리 반응, 감각 활동, 윤리 행동과 같은 모든 경험을 행에 포함하였다. ④, ⑤ 성리학자들은 모든 사물의 이치가 밖에서 오는 것이 아니라 사람들의 마음에 본래 갖추어져 있다고 보았다. 그리하여 도덕적 수양을 통해 그 이치를 찾는 것이 학문의 목표라고 하였다.

03 ③

'선행후지(先行後知)'는 '행'이 '먼저(先)'이며 '지'가 '나중(後)'에 온다는 뜻으로, 행을 더 중시하는 입장을 나타낸다. #다 에서 ㄴ '선행후지'를 제시한 최한기가 행(실천)이 지(앎)보다 우선적인 것임을 강조했음을 알 수 있다.

04 ③

#마 에서 도덕적 수양을 통해 이치를 얻고자 한 성리학자들과, 피폐한 사회 현실을 개혁하려고 했던 실학자들의 학문 목표가 서로 달랐기 때문에 성리학자들과 실학자들이 서로 다른 지행론을 주장하게 되었다고 하였다.

05 ④

보기 에서 경험을 통해 익힌 말을 쓰면서 시행착오를 거치는 것은, 실천(듣고 말하는 경험)을 통해 확충한 앎(더 많은 말)을 다시 실천(익힌 말을 실제로 씀)을 통해 검증(시행착오)하는 과정이다.

06 ①

ⓐ '대처하다'는 '어렵거나 중요한 일을 해결하기에 알맞은 행동을 하다.'의 의미를 지니고 있다. 따라서 '일이나 때에 맞게 행동하다.'라는 의미를 지닌 '대응하다'와 바꾸어 쓸 수 있다.
② '기여하려는'은 '도움이 되도록 이바지하다.', ③ '도달하려는'은 '목적한 곳이나 수준에 다다르다.', ④ '동조하려는'은 '남의 주장에 자기의 의견을 일치시키거나 보조를 맞추다.', ⑤ '반대하려는'은 '어떤 행동, 견해에 따르지 않고 맞서 거스르다.'라는 뜻이다.

07 ⑤

|완벽 마스터 문제| ❶ 지행병진 ❷ 검증

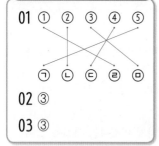

17 인상파, 느낌을 그리다

✓ 읽기 전 어휘 체크

01 ① ② ③ ④ ⑤
   ㉠ ㉡ ㉢ ㉣ ㉤

02 ③

03 ③

#문단별 핵심 태그

1문단
출품 당시 혹평을 받은 모네의
작품명에서 이름을 따온
'[#　인상파　]'

2문단
회화에 [#　문학적　] 주제를
담으려고 했던 인상파 이전의
19세기 화가들

3문단
인상파 회화의 특징 ① ─
대상의 [#　인상　]을
그리고자 함

4문단
인상파 회화의 특징 ② ─
이전과 다른 새로운
[#　기법　]으로 그림을
그림

5문단
인상파 회화의 의의 ─ 그림이
다루는 [#　대상　]과
감상자의 폭을 넓힘

문제 정답 및 해설

메인북 104~109쪽까지 정답이야!

독해 포인트   **1** 문학 **2** 구도 **3** 빛 **4** 원색

01 ⑤

이 글에는 모네와 같이 인상파에 속하는 화가는 나와 있지만, 인상파의 영향을 받은 현대 화가는 나와 있지 않다.
① #1문단 을 통해 '인상파'라는 이름이 모네의 작품명에서 따온 것임을 알 수 있다. ② #4문단 을 통해 인상파 화가들이 사용한 표현 기법과 그 효과를 알 수 있다. ③ #5문단 에서 더 많은 사람들이 배경지식 없이 그림을 눈으로 즐길 수 있게 되었다는 인상파 회화의 의의를 설명하고 있다. ④ #1문단 에서 인상파 작가인 모네의 「인상, 해돋이」라는 작품을 확인할 수 있다.

02 ③

인상파 화가들은 햇빛과 대기 상태에 따라 대상의 색과 대상에 대한 인상이 달라진다는 사실에 주목하여 이를 그림으로 표현하였다.

03 ③

인상파 회화가 갖는 중요성과 가치를 이해했는지 묻는 문제이다.
#5문단 에서 ㉠(인상파 화가들을 통해 회화가 다룰 수 있는 대상의 폭이 넓어진 것)과 ㉣(인상파 회화를 통해 많은 사람들이 배경지식 없이 그림을 눈으로 즐길 수 있게 되었다는 것)을 확인할 수 있다.

04 ④

#4문단 에서 인상파 화가들은 엄격한 구도, 원근법, 명암법 등과 같은 기존에 중시되던 전통 회화의 표현 기법이 아닌 새로운 기법을 사용했다고 하였다.

05 ④

#4문단 에서 모네를 비롯한 인상파 화가들은 물감을 섞어 쓰지 않고 서로 다른 원색을 캔버스 위에 직접 칠했다고 하였다.
① #3문단 , #5문단 문단에서 인상파 화가들은 자연 풍경을 포함한 실제 물리적 상황에 대한 시각적 현상인 대상의 인상을 작품의 주제로 삼아 야외로 나가 일상적인 풍경을 화폭에 담았다고 하였으므로 모네가 실제 해돋이 장면을 보며 이 그림을 그렸을 것임을 짐작할 수 있다. ② #1문단 , #2문단 을 통해 루이 르루아가 전통 회화의 관점에서 인상파 화가들의 그림을 혹평했을 것임을 짐작할 수 있다. ③ #3문단 에서 인상파 화가들은 햇빛과 대기의 상태에 따라 대상의 색과 대상에 대한 인상이 달라진다는 사실에 주목했다고 하였다. ⑤ #4문단 에서 인상파 화가들은 윤곽선을 흐릿하게 표현함으로써 시시각각 다르게 보이는 대상의 미묘한 변화를 표현하였다고 하였다.

06 ③

'미생물'은 눈으로 볼 수 없는 아주 작은 생물을 뜻하며 '미(未)'가 아닌 아주 작다는 의미의 '미(微)'가 붙어서 만들어진 단어이다.

07 ⑤

|완벽 마스터 문제| **1** 인상파 **2** 대기 **3** 표현

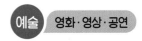

18 영화에 소리가 없다면

예술 영화·영상·공연

✓ 읽기 전 어휘 체크

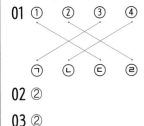

01 ① ② ③ ④
   ㉠ ㉡ ㉢ ㉣

02 ②

03 ②

#문단별 핵심 태그

1문단
초기에는 소리가 없는 영화도 있었으나 지금은 필수적인 요소가 된 영화 속
[#   소리   ]

2문단
영화 속 소리의 기능 ① — 영화의 내용 전달, 주제 강조, 영상의 [#   배경   ] 제시, 현실감 부여

3문단
영화 속 소리의 기능 ② — 분위기 조성, 인물의 [#   심리   ] 표현

4문단
영화 속 소리의 기능 ③ — 나열된 여러 영상을 하나의 [#   작품   ]으로 완성

5문단
영화의 예술적 [#   상상력   ]을 더욱 풍부하게 하는 영화 속 소리

문제 정답 및 해설

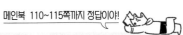

메인북 110~115쪽까지 정답이야!

독해 포인트 **1** 대사 **2** 음악 **3** 공간 **4** 높낮이

01 ①

이 글에서는 영상 못지않게 영화에서 중요한 역할을 하게 된 영화 속 소리의 다양한 기능을 설명하고 있다.

02 ③

영화의 시각적인 예술 효과를 주로 담당하는 것은 영상이다. 영화 속 소리는 청각과 관련 있다. 시각은 눈을 통해 빛의 자극을 받아들이는 감각을, 청각은 귀를 통해 소리를 느끼는 감각을 말한다.

03 A: 소리
     B: 상상력

유성 영화가 등장하는 1920년대 후반에도 일부 영화감독들은 영화에 소리가 들어가는 것에 부정적인 견해를 보였다. 그들은 가장 영화다운 장면은 소리 없이 움직이는 그림으로만 이루어지는 것이라고 믿었으며, 영화 속 소리는 영화의 시각적인 예술적 효과와 영화적 상상력을 빼앗을 것이라고 보았다.

04 ④

주인공이 악당에게 쫓기는 장면에서는 대사가 사용되지 않았다고 하였다. 대사는 영화에서 정보를 전달하는 기능을 하지만, 영상과 음악, 음향 효과만으로도 영화의 내용을 알 수 있다.

> 보기 👀 돋보기
>
> 주인공과 연인의 대화는 '대사'에, 이때 흐르는 음악과 주인공이 쫓길 때 나오는 음악은 '음악'에, 주인공이 달리는 소리나 물건들이 쏟아지는 소리는 '음향 효과'에 속한다.

05 ②

#2문단에서 영화 속 소리는 영상의 시간적, 공간적 배경을 확인하고, 영상에 현실감을 더한다고 하였다. 이를 참고할 때 학교를 홍보하는 영상에서 학생들이 교실에서 웃거나 떠드는 소리와 같은 실제로 생활하는 소리를 음향 효과로 넣으면 영상의 사실성을 높일 수 있으므로 영상 제작 계획으로 적절하다.

06 ④

@는 영화에서 영화 속 소리를 없앴을 때를 가정하고 있다. 이와 비슷한 표현은 '없애 버리다.'라는 뜻을 가진 ④이다.
① '감면하다'는 '매겨야 할 부담을 덜어 주거나 면제하다.'라는 말이다. ② '감축하다'는 '덜어서 줄이다.'라는 말이다. ③ '약화하다'는 '세력이나 힘이 약해지다. 또는 그렇게 되게 하다.'라는 말이다. ⑤ '추출하다'는 '전체 속에서 어떤 물건, 생각, 요소를 뽑아내다.'라는 말이다.

07 ②

|완벽 마스터 문제| ❶ 유성 ❷ 사실성 ❸ 소리

독해

21

19 음악에 사용되는 반복 기법

메인북 116~121쪽까지 정답이야!

✓ 읽기 전 어휘 체크

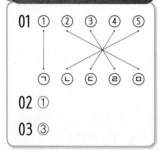

01 ① ② ③ ④ ⑤
　　ㄱ　ㄴ　ㄷ　ㄹ　ㅁ

02 ①

03 ③

#문단별 핵심 태그

1문단
음악에서 사라지는 음을
기억하기 위한 방법인
[# 반복]

2문단
르네상스 시대 — 입체적 효과를
주기 위해 [# 모방]의
방식으로 반복 기법을 구현함

3문단
바로크 시대 — 패턴의 반복과
장식적 [# 변주]를 통해
반복 기법을 구현함

4문단
고전 시대 — 주제를 주기적으로
반복하면서 새로운 주제를
삽입하는 [# 론도]
형식을 통해 반복 기법을 구현함

5문단
음악의 양상은 [# 시대]
마다 다르지만 반복이 기본
원리임

문제 정답 및 해설

독해 포인트　　1 시간　2 악곡　3 돌림　4 변주

01 ②
주제가 다른 여러 악장이 서로 대조를 이루는 형태로 구성되며, 마지막 악장이 첫 악장에 비해 상대적으로 쉬운 음악으로 구성되는 것은 고전 시대에 널리 쓰인 소나타에 대한 설명이다.

02 ③
회화나 조각은 공간 예술이므로 계속 볼 수 있지만, 음악은 시간 예술이기 때문에 시간이 흐르면 사라진다. 반복을 사용하는 이유는 시간이 흐르면서 사라지는 음을 기억하게 하여 악곡 전체를 파악하게 하기 위해서이다.

03 ①
'모방'은 각 성부가 시간 차이를 두고 같은 선율로 시작한 후 서로 다른 선율로 노래를 이어 가는 돌림 노래와 비슷한 방법이다.

04 ④
문과 창의 크기 차이에서는 변화의 아름다움이 느껴진다. 그런데 소나타의 마지막 악장은 악장의 주제가 주기적으로 반복되는 사이사이에 새로운 주제들이 삽입된다고 하였으므로 반복과 변화의 아름다움을 모두 느낄 수 있다. 따라서 ④는 적절하지 않은 설명이다.
① 르네상스 시대의 다성 음악 양식에서는 모방을 통해 반복의 아름다움을 만들어 내었다. 보기의 르네상스 건축물에서도 반복의 아름다움을 느낄 수 있다고 하였다. ② 보기는 '조화'라고 불린 르네상스의 건축물에서 느껴지는 반복과 변화의 아름다움에 대해 설명하고 있다. ③, ⑤ 바로크 음악의 화성 반주는 저음 성부에서 일정한 패턴을 반복하고, 고음 성부에서는 반주에 맞춰 선율이 변화하는 장식적 변주가 나타난다고 하였다. 이를 르네상스 건축물과 연관 지어 보면, 일정한 패턴이 반복되는 저음 성부에서는 문과 창의 형태가 같은 것에서 느껴지는 반복의 아름다움을, 장식적 변주가 나타나는 고음 성부에서는 문과 창의 크기가 다른 것에서 느껴지는 변화의 아름다움을 느낄 수 있다.

05 ③
ⓒ '선호'는 '여럿 가운데서 특별히 가려서 좋아함.'이라는 의미이다. '산뜻하고 뚜렷하여 다른 것과 혼동되지 않음.'의 뜻을 가진 어휘는 '선명'이다.

06 소나타
#4문단을 통해 고전 시대에 널리 쓰인 소나타의 형식을 확인할 수 있다. 소나타는 비교적 여러 개의 악장으로 이루어지고, 여러 악장이 서로 대조를 이루는 형태로 구성되는데 마지막 악장에서는 론도 형식을 사용한다.

07 ③
|완벽 마스터 문제| 1 선율　2 바로크　3 동요

20 동양화의 여백이 주는 아름다움

예술 · 미술

✓ 읽기 전 어휘 체크

01 ① ② ③ ④ ⑤
　　㉠ ㉡ ㉢ ㉣ ㉤

02 ③

03 ①

문단별 핵심 태그

1문단
동양화의 대표적 특징 중 하나인
[# 여백]의 미

2문단
여백의 효과 ① — 그림을
여유롭고 편안하며
[# 안정감]있게 만듦

3문단
여백의 효과 ② — 감상자가
[# 상상력]을 발휘하게 함

4문단
감상자가 [# 운치]와
여운을 느낄 수 있는
동양화의 여백

문제 정답 및 해설

메인북 122~127쪽까지 정답이야!

독해 포인트　1 여백　2 물　3 상상력　4 운치

01 ④

#1문단 에서는 동양화에서 여백을 표현하는 다양한 방법을 설명하고 있다. 그리고 #2문단 ~ #3문단 에서는 김홍도의 「관폭도」를 예로 들어 여백의 효과를, #4문단 에서는 동양화에서 여백이 갖는 의미를 언급하고 있다. 중심 내용이나 제목을 찾는 문제에서는 한두 문단에서 다루는 세부 내용인지, 전체 내용을 아우르는 내용인지 확인해야 한다.

02 ④

마지막 문단에서 글쓴이는 감상자가 여백을 감상자의 생각으로 채울 수 있다고 했을 뿐, 감상자가 직접 그림을 그려 여백을 채운다고 하지는 않았다.

03 ②

#3문단 에서 여백은 자세히 그린 것보다 더 많은 것을 암시한다고 하였다. 이는 여백을 통해 그림에 표현된 것 이외의 것을 상상할 수 있다는 의미이며, 이러한 여백의 특징을 '적극적 표현'이라고 말한 것이다.

04 ③

#1문단 에서 일반적으로는 아무것도 그리지 않은 빈 공간으로 여백을 표현하지만, 물이나 하늘, 안개나 구름과 같은 대상으로 여백을 표현하기도 한다고 하였다. 즉, 물, 하늘, 안개, 구름 등이 빈 공간이 되는 것이다. 동양화에서 여백을 활용하여 하늘, 구름, 안개와 같은 대상의 사실성을 높인다는 것은 적절하지 않다.

05 B, C

#4문단 에서 동양화의 여백은 그림을 다 그리고 난 나머지로서의 빈 공간이 아니라 화자가 의도적으로 표현한, 그 자체로서 의미가 있는 부분이라고 하였다. 보기 에서도 조각가들은 비어 있는 공간을 작품의 중요한 구성 요소로 삼고 있다고 하였으므로 형상 사이 사이의 공간인 B, C가 동양화의 여백에 해당한다고 할 수 있다.

06 ③

ⓐ '빽빽함'은 사이가 비좁고 촘촘한 것을, ⓑ '성김'은 물건의 사이가 뜬 것을 가리킨다. 따라서 이 두 어휘는 서로 반대되는 뜻을 가진 말이다. 그러나 '넉넉하다 : 풍족하다'는 모두 '모자라지 않고 남음이 있다.'의 의미로 뜻이 서로 비슷한 말이다. 나머지는 서로 반대되는 뜻을 지닌 어휘의 쌍이다.

07 ③

|완벽 마스터 문제| ❶ 폭포　❷ 여백　❸ 선비

MEMO

메모하는 곳!

초등
수능
독해

초등부터 수능까지 필수 어휘력과 독해력을 학습합니다.

대표전화 1544-0554
주소 서울특별시 구로구 디지털로33길 48 대륭포스트타워 7차 20층
협의 없는 무단 복제는 법으로 금지되어 있습니다.